escale à
los angeles

Superficie 1 210 km²

Population 4 millions (ville de Los Angeles),
13 millions (région métropolitaine)

Deuxième ville des États-Unis après
New York

Bâtiment le plus haut U.S. Bank Tower
(310 m)

Fuseau horaire UTC −8

ULYSSE

Crédits

Recherche et rédaction : Eve Boissonnault
Éditeur : Pierre Ledoux
Adjointes à l'édition : Julie Brodeur, Annie Gilbert
Recherche et rédaction antérieures, extraits du guide Ulysse *Los Angeles* : Taly Alfaro, Clayton Anderson, Pierre Corbeil, Eric Hamovitch, Olivier Jacques
Correction : Pierre Daveluy

Conception graphique : Pascal Biet
Conception graphique de la page couverture : Philippe Thomas
Mise en page et cartographie : Judy Tan
Photographie de la page couverture : Enseigne annonçant l'aéroport de Los Angeles, dont le code est LAX © Ocean/Corbis

Cet ouvrage a été réalisé sous la direction de Claude Morneau.

Remerciements

Merci à Marion Renk-Rosenthal du Los Angeles Tourism and Convention Board et Ana Haase-Reed de la Los Angeles County Metropolitan Transportation Authority pour leur aide.

Guides de voyage Ulysse reconnaît l'aide financière du gouvernement du Canada par l'entremise du Fonds du livre du Canada (FLC) pour ses activités d'édition.

Guides de voyage Ulysse tient également à remercier le gouvernement du Québec – Programme de crédit d'impôt pour l'édition de livres – Gestion SODEC.

Guides de voyage Ulysse est membre de l'Association nationale des éditeurs de livres.

Note aux lecteurs

Tous les moyens possibles ont été pris pour que les renseignements contenus dans ce guide soient exacts au moment de mettre sous presse. Toutefois, des erreurs peuvent toujours se glisser, des omissions sont toujours possibles, des adresses peuvent disparaître, etc.; la responsabilité de l'éditeur ou des auteurs ne pourrait s'engager en cas de perte ou de dommage qui serait causé par une erreur ou une omission.

Écrivez-nous

Nous apprécions au plus haut point vos commentaires, précisions et suggestions, qui permettent l'amélioration constante de nos publications. Il nous fera plaisir d'offrir un de nos guides aux auteurs des meilleures contributions. Écrivez-nous à l'une des adresses suivantes, et indiquez le titre qu'il vous plairait de recevoir.

Guides de voyage Ulysse
4176, rue Saint-Denis, Montréal (Québec), Canada H2W 2M5, www.guidesulysse.com, texte@ulysse.ca

Les Guides de voyage Ulysse, sarl
127, rue Amelot, 75011 Paris, France, www.guidesulysse.com, voyage@ulysse.ca

Catalogage avant publication de Bibliothèque et Archives nationales du Québec et Bibliothèque et Archives Canada

Escale à Los Angeles
(Escale Ulysse)
Comprend un index.
ISBN 978-2-89464-601-4
1. Los Angeles (Calif.) - Guides.
F869.L83E72 2013   917.94'940454   C2012-942422-6

Bibliothèque et Archives nationales du Québec
Dépôt légal – Troisième trimestre 2013
ISBN 978-2-89464-601-4 (version imprimée)
ISBN 978-2-76580-302-7 (version numérique PDF)
Imprimé en Italie

sommaire

↘

le meilleur de los angeles 7

explorer los angeles 29

los angeles pratique 135

le meilleur de
los angeles

los angeles

En **10** images emblématiques

1 Le Hollywood Sign (p. 46)

3 La porte d'entrée des studios de la Paramount (p. 119)

4 L'observatoire de Griffith Park (p. 54)

2 Le Hollywood Walk of Fame (p. 47)

5 La ligne d'horizon du centre-ville de Los Angeles

6 La jetée de Santa Monica et la grande roue de Pacific Park (p. 81)

7 Disneyland (p. 124)

8 Les autoroutes entrelacées de la ville (p. 12, 147)

9 Le futuriste Theme Building de l'aéroport LAX (p. 137)

10 Le Grauman's Chinese Theatre (p. 51)

En quelques heures

↘ Une balade en voiture sur la Pacific Coast Highway (p. 138), de l'aéroport de Los Angeles à Santa Monica
   Pour découvrir toute la beauté de la côte Pacifique et ses luxueuses maisons de rêve.

↘ Une balade le long des plages de Santa Monica (p. 81) et de Venice (p. 94)
   Le meilleur de Los Angeles à moins de 10 km de l'aéroport.

↘ Une promenade sur Hollywood Boulevard (p. 47)
   Pour voir défiler sous ses yeux – et sous ses pieds, avec le Hollywood Walk of Fame – l'histoire du cinéma américain.

En une journée

Ce qui précède plus...

↘ La visite des Warner Bros. Studios (p. 118, 120)
   Pour un aperçu de ce qui se passe dans les coulisses des grandes productions cinématographiques et télévisuelles.

↘ Un peu de lèche-vitrine sur Rodeo Drive (p. 80)
   Le plaisir d'arpenter l'une des rues marchandes les plus célèbres du monde.

En un week-end

Ce qui précède plus...

↘ Une randonnée pédestre à travers Griffith Park (p. 53) et une visite de l'observatoire (p. 54)
   Pour quelques heures en plein air au cœur d'une des plus grandes métropoles du monde.

↘ Un concert en plein air au Hollywood Bowl (p. 53)
   Pour vibrer au son des grands musiciens du monde sous le ciel étoilé d'Hollywood.

↘ La visite du Getty Center (p. 72)
   Pour sa vue imprenable sur Los Angeles et pour la qualité – et la quantité! – de ses trésors artistiques.

En **10** repères

1 Automobile

Los Angeles, ville tentaculaire s'il en est, possède un vaste réseau d'autoroutes qui l'a rendue célèbre dans le monde entier. D'ailleurs, bien des *Angelenos* n'imagineraient jamais aller plus loin que le coin de la rue sans prendre leur voiture… Cela dit, il existe des moyens de rechange (autobus, métro, trains de banlieue), même s'il faut de la patience pour emprunter les transports en commun dans une ville aussi obsédée par l'automobile.

2 Cinéma, télévision et *star system*

Hollywood est le plus important centre de production cinématographique des États-Unis depuis les années 1920, et la production télévisuelle est venue s'y greffer à partir des années 1950. Aujourd'hui, quelque 263 000 personnes à Los Angeles travaillent dans l'industrie du cinéma et de la télévision, à laquelle le *star system* est indissociable. Aussi retrouve-t-on à Los Angles la plus grande concentration au monde de vedettes internationales. Vous désirez voir les maisons des stars du cinéma? Sachez qu'elles se trouvent surtout dans les montagnes ou à leur pied. Quant aux grands studios hollywoodiens, des visites guidées de leurs installations sont proposées, ce qui permet d'avoir un aperçu de ce qui se passe en coulisses.

3 Frank O. Gehry

C'est à l'aube des années 1970 qu'émergea à Los Angeles l'une des figures les plus originales et énigmatiques de l'architecture contemporaine : Frank O. Gehry (né à Toronto en 1929). Son architecture novatrice et souvent sculpturale en fera un véritable *starchitect*. On lui doit notamment le spectaculaire Walt Disney Concert Hall du centre-ville de Los Angeles, dont les lignes ne sont pas sans rappeler celles du musée Guggenheim de Bilbao en Espagne, l'une de ses réalisations les plus acclamées.

4 Gastronomie

Los Angeles est l'une des villes où l'on mange le mieux aux États-Unis. La grande diversité ethnique assure une variété de cuisines qui saura satisfaire n'importe quel visiteur. On y trouve notamment une profusion de restaurants asiatiques et mexicains, l'omniprésente cuisine italienne et une bonne offre en matière de cuisine française. Et c'est en Californie qu'ont été créés la salade Caesar, le *chop suey*, la cuisine fusion, le *cheeseburger*... et les *doggy bags*.

5 Hip-hop

Les quartiers de South Central, de Compton et de Long Beach sont le berceau des artistes hip-hop de la Côte Ouest américaine. Les artistes et groupes influents comme Ice Cube, Snoop Dogg, Dr Dre, The Game, Odd Future et Kendrick Lamar en sont tous issus.

En **10** repères *(suite)*

6 Hispanophones

Avec les quatre millions de membres de sa communauté hispanique (sans compter près d'un million de clandestins), L.A. est la troisième plus grande «ville hispanophone» en Amérique du Nord, après México et Guadalajara au Mexique. Les hispanophones comptent pour plus de 50% de la population du comté de Los Angeles. Le quartier latino-américain traditionnel se trouve dans le centre-ville, autour d'Olvera Street, mais la majorité de la communauté est surtout regroupée dans les faubourgs à l'est du centre-ville.

7 Plages

L'un des indéniables attraits de L.A. est la proximité de ses célébrissimes plages, qui font partie intégrante du mode de vie pratiqué en Californie du Sud. Après tout, vous êtes ici dans la ville qui a vu naître la musique des Beach Boys. La plage de Santa Monica avec son iconique jetée, celle de **Huntington Beach**, rendez-vous des surfers, et celle de Venice, peuplée de musiciens, danseurs, diseuses de bonne aventure et autres originaux, comptent parmi les plus attrayantes.

8 Rock

Los Angeles est reconnue comme une des sources du rock-and-roll, popularisé entre autres par des groupes comme les Beach Boys, les

Byrds et les Doors. Au fil des ans, de nombreux autres talents locaux ont su s'imposer sur la scène internationale : Los Lobos, Metallica, Mötley Crüe, Guns N' Roses, Eagles, Beck, Elliott Smith, Red Hot Chili Peppers…

9 *Shopping*

Pour plusieurs, Los Angeles fait figure de Mecque du magasinage. Ce sont surtout les centres commerciaux de banlieue et les élégantes avenues commerciales des quartiers tels que Beverly Hills (Rodeo Drive) et Hollywood qui attirent la plupart des consommateurs, en particulier lorsqu'il s'agit de dénicher les derniers vêtements à la mode.

10 Smog

Le smog compte parmi les grands malheurs de Los Angeles. Les millions de véhicules à moteur et les milliers d'usines de la ville crachent un mélange de gaz nocifs qui ne peuvent facilement se disperser du fait que la ville repose dans une sorte de soucoupe emmurée, ce qui laisse flotter au-dessus d'elle une brume brunâtre dont l'épaisseur varie d'une journée à l'autre. Le mot «smog» vient de la contraction des mots *smoke* (fumée) et *fog* (brouillard).

En **10** lieux mythiques liés au cinéma

En **5** beaux parcs

En 5 belles plages

En 10 icônes architecturales

En **10** endroits
pour faire plaisir aux enfants

En **10** attraits gratuits

En 5 expériences
pour les amateurs de sport

1 Une leçon de **surf à Huntington Beach** (p. 128)

2 Une balade à vélo ou en patins à roues alignées à Venice Beach (p. 151)

3 Un match de hockey ou de basketball au Staples Center (p. 162)

4 Un match de baseball au Dodgers Stadium (p. 162)

5 Un match de soccer au Home Depot Center (p. 162)

En **5** vues exceptionnelles

En **5** classiques de la cuisine locale

1 Les kiosques alimentaires du **Farmers Market** (p. 79)

2 Le *chili dog* chez Pink's Hot Dog (p. 56)

3 Le *French Dip* chez Philippe the Original (p. 40) ou chez Cole's (p. 41)

4 Le poulet frit du Mrs. Knott's Chicken Dinner Restaurant (p. 129)

5 Les charcuteries italiennes de Bay Cities Italian Deli & Bakery (p. 85)

En 5 belles terrasses sur les toits

En 5 grandes tables

En **5** incontournables du lèche-vitrine

En 5 hauts lieux de la vie nocturne

explorer
los angeles

1 ↘

Le centre-ville de Los Angeles

À voir, à faire

(voir carte p. 33)

Tous ceux qui ont connu le **centre-ville** ★★ de Los Angeles il y a quelques années risquent d'être fort agréablement surpris. Il a graduellement retrouvé sa vitalité, si bien qu'aujourd'hui il s'affiche comme l'un des quartiers les plus branchés de L.A. Depuis le début des années 2000, plusieurs milliards de dollars y ont été investis afin de lui redonner vie. Les résultats sont à tout le moins concluants, et de nombreux restaurateurs et tenanciers y ont ouvert des commerces qui ont rapidement été adoptés par les jeunes *Angelenos*. Des attraits du passé ont été rénovés, et de nouveaux attraits spectaculaires ont été construits, comme le Walt Disney Concert Hall et le complexe de divertissement L.A. Live.

El Pueblo de Los Angeles Historical Monument ★★ [1]

Pourquoi ne pas commencer votre visite par l'endroit même où la ville a vu le jour, non loin des berges de la rivière Los Angeles? C'est ici que des explorateurs espagnols venus du centre du Mexique ont découvert une petite colonie autochtone et fondé leur propre communauté quelques années plus tard, en 1781. La plus ancienne structure encore debout, érigée en 1818, fait aujourd'hui partie du El Pueblo de Los Angeles Historical Monument, qui regroupe 27 bâtiments historiques et une place centrale de style mexicain sur une propriété de 44 ha. Cette propriété, située au nord

El Pueblo de Los Angeles Historical Monument.

Le centre-ville de Los Angeles

du centre-ville actuel, est délimitée par Alameda Street, Arcadia Street, Spring Street et Cesar E. Chavez Avenue. Désigné parc d'État, ce site abrite un **centre d'accueil des visiteurs** *(lun-ven 9h à 16h; 10 E. Olvera St., 213-628-1274, www.ci.la.ca.us/elp)* installé dans l'**Avila Adobe ★** [2], la plus ancienne résidence de L.A. Cette construction aux murs épais a servi de maison à une riche famille durant une bonne partie du XIXe siècle, et vous pourrez y admirer plusieurs pièces meublées dans le style de l'époque de même qu'un jardin verdoyant. **Olvera Street ★★** est la partie la plus animée du parc historique, et de loin. Il s'agit d'une courte rue piétonnière, la plus vieille de Los Angeles, où l'on retrouve de nombreux comptoirs d'artisanat mexicain, des boutiques de vêtements traditionnels et plusieurs restaurants.

Union Station ★ [3]
800 N. Alameda St.

Une rue plus à l'est, de l'autre côté d'Alameda Street, se trouve l'Union Station, inaugurée en 1939. La dernière des grandes gares ferroviaires construites aux États-Unis, cette magnifique structure mérite une courte visite, et ce, même si vous ne projetez aucun voyage en train. Avec son beffroi et ses hautes fenêtres en arc, elle reproduit à très grande échelle le style Mission des premiers jours de la Californie tout en intégrant des éléments modernes, tandis que son intérieur arbore des sols carrelés dans des tons de terre, des plafonds aux poutres apparentes hauts de près de 16 m, des lustres imposants et, dans l'aire d'attente, la majeure partie des meubles en bois d'origine.

Le centre-ville de Los Angeles

À voir, à faire ★

1.	EX	El Pueblo de Los Angeles Historical Monument	**10.**	CY	Central Library/Maguire Gardens
2.	EX	Avila Adobe	**11.**	BZ	L.A. Live
3.	EX	Union Station	**12.**	BZ	Nokia Theatre
4.	DX	Performing Arts Center of Los Angeles County/Music Center/ Walt Disney Concert Hall	**13.**	BZ	Staples Center
			14.	BZ	GRAMMY Museum
			15.	BZ	Exposition Park/Los Angeles Memorial Coliseum
5.	DX	MOCA Grand Avenue			
6.	EY	Geffen Contemporary at MOCA	**16.**	BZ	California Science Center
7.	CY	Wells Fargo History Museum	**17.**	BZ	California African American Museum
8.	CY	Angel's Flight Railway			
9.	DY	Grand Central Market	**18.**	BZ	Natural History Museum of Los Angeles County

Cafés et restos ●

19.	CY	Café Pinot	**24.**	BX	Pacific Dining Car
20.	CY	Cicada	**25.**	DX	Patina
21.	DZ	Cole's	**26.**	EX	Philippe the Original
22.	EY	Frying Fish	**27.**	EY	Shabu Shabu House
23.	DY	Grand Central Market/Maria's Fresh Seafood/Tacos Tumbras a Tomas/Roast to Go/China Cafe	**28.**	EX	Traxx
			29.	CY	Water Grill

Bars et boîtes de nuit ♩

30.	BY	Point Moorea	**33.**	CZ	The Mayan
31.	CY	Rooftop Bar	**34.**	DZ	The Varnish
32.	CX	The Bona Vista Lounge	**35.**	EZ	Villains Tavern

Salles de spectacle ◆

36.	BZ	Nokia Theatre
37.	DX	Performing Arts Center of Los Angeles County

Lèche-vitrine ■

38.	CY	Broadway	**42.**	CY	Jewelry District
39.	CZ	Fashion District	**43.**	EX	Olvera Street
40.	BY	FIGat7th	**44.**	EX	Skeletons In The Closet
41.	DY	Grand Central Market	**45.**	DY	Toy District

Hébergement ▲

46.	CY	Millennium Biltmore Hotel Los Angeles	**48.**	CY	The Standard Downtown LA Hotel
47.	BY	O Hotel			

©ULYSSE

Le centre-ville de Los Angeles

Principaux événements historiques

1781: fondation d'El Pueblo de Nuestra Señora la Reina de Los Ángeles de Porciúncula, qui deviendra Los Angeles.

1825: la Californie est rattachée au Mexique, qui a déclaré son indépendance de l'Espagne quatre ans plus tôt.

1846: les États-Unis déclarent la guerre au Mexique.

1848: défaite mexicaine: le traité de Guadalupe Hidalgo donne aux États-Unis la Californie, le Nevada et l'Utah, ainsi que les territoires actuels des États du Texas, du Colorado, du Wyoming et, en partie, de l'Arizona et du Nouveau-Mexique.

1850: la Californie devient le 31e État de l'Union.

1876: la première ligne de chemin de fer transcontinentale, la Southern Pacific, arrive à Los Angeles.

1881: le *Los Angeles Times* publie son premier numéro.

Music Center.

Performing Arts Center of Los Angeles County/ Music Center [4]

Grand Ave. entre Second St. et Temple St., 213-972-7211, www.musiccenter.org

En se dirigeant vers l'ouest, on croise Grand Avenue, le cœur de l'offre culturelle de la ville. C'est ici qu'on trouve le Performing Arts Center of Los Angeles County, mieux connu sous le nom de Music Center. Le complexe regroupe quatre salles de spectacle, dont l'impressionnant **Walt Disney Concert Hall ★ ★ ★** *(visites guidées gratuites; 135 N. Grand Ave., 213-972-4399, www. musiccenter.org).* Chef-d'œuvre de l'architecte Frank Gehry, le Walt Disney Concert Hall est le lieu de résidence de l'Orchestre philharmonique de Los Angeles, et l'endroit comprend notamment, en plus de la grande salle de concerts, le res-

1892: découverte de pétrole dans le centre de Los Angeles.

1909: construction de la jetée à Santa Monica.

1923: construction des lettres géantes du mot «Hollywood».

1927: ouverture du Chinese Theatre et fondation de l'Academy of Motion Picture Arts and Sciences.

1928: ouverture du premier aéroport de L.A., «Mines Field», sur le site de l'actuel LAX.

1932: les Jeux olympiques d'été se tiennent à L.A.

1955: ouverture de Disneyland à Anaheim.

1961: lancement du Hollywood Walk of Fame.

1984: la XXIIIe Olympiade se tient à L.A.

1992: émeutes raciales liées à l'affaire Rodney King.

1994: le tremblement de terre de Northridge entraîne des dégâts massifs.

1995: le procès d'O.J. Simpson captive le monde entier.

Walt Disney Concert Hall.

taurant **Patina** (voir p. 42), l'un des plus réputés du centre-ville, et un jardin public situé au troisième niveau avec plans d'eau, arbres à fleurs et une fontaine conçue par Gehry pour honorer l'épouse de Walt Disney, Lillian Disney (décédée en 1997).

Les trois autres salles de spectacle du Music Center, situées tout juste au nord, à l'angle de Grand Avenue et de First Street, sont disposées autour de la Music Center Plaza, une place ornée d'une grande sculpture de Jacques Lipschitz et d'une imposante fontaine. La plus grande des salles, le **Dorothy Chandler Pavilion**, peut à elle seule accueillir 3 200 personnes. Cet endroit loge le Los Angeles Opera, dirigé par Plácido Domingo. Les deux autres salles sont l'**Ahmanson Theatre**

Le centre-ville de Los Angeles

2003 : ouverture du Walt Disney Concert Hall, conçu par l'architecte Frank Gehry.

2009 : inauguration de l'important complexe de divertissement L.A. Live.

(théâtre et musique) et le **Mark Taper Forum** (théâtre expérimental).

Museum of Contemporary Art (MOCA) ★★★

Le Museum of Contemporary Art (MOCA) est le seul musée de Los Angeles consacré exclusivement à l'art contemporain. Avec une collection de près de 6 000 œuvres américaines et européennes datant de 1940 à aujourd'hui, il est un des plus importants musées des États-Unis. Le MOCA est composé de trois bâtiments. Le **MOCA Grand Avenue** [5] *(250 S. Grand Ave., de biais avec le Walt Disney Concert Hall)* et le **Geffen Contemporary at MOCA** [6] *(152 N. Central Ave.)* sont payants et situés au centre-ville *(12$, entrée libre jeu 17h à 20h; lun et ven 11h à 17h, jeu 11h à 20h, sam-dim 11h à 18h, fermé mar-mer; 213-626-6222, www.moca.org)*. Ensemble, les deux pendants ce musée unique abritent une collection permanente des plus impressionnantes. Ils présentent en outre maintes expositions temporaires et

sont reliés entre eux (huit rues les séparent) par la ligne A du réseau d'autobus **DASH** (voir p. 148). Le troisième bâtiment est le **MOCA Pacific Design Center** (voir p. 56), situé à West Hollywood.

Wells Fargo History Museum ★ [7]

entrée libre; lun-ven 9h à 17h; 333 S. Grand Ave., entre Third St. et Fourth St., 213-253-7166, www.wellsfargohistory.com

En diagonale du MOCA Grand Avenue se trouve un petit musée intéressant situé sur Bunker Hill, une colline historique qui surplombe le centre-ville. Le Wells Fargo History Museum, commandité par la banque du même nom, dépeint différents volets de l'histoire de la Californie au milieu du XIXe siècle, en présentant notamment les célèbres diligences Wells Fargo qui parcou-

1. Museum of Contemporary Art (MOCA).

2. Angel's Flight Railway.

raient à cette époque l'ouest des États-Unis.

Angel's Flight Railway ★ [8]
0,50$; tlj 6h45 à 22h; 213-626-1901, www.angelsflight.com

Face au Wells Fargo History Museum se trouve la **California Plaza**, qui abrite les nombreuses fontaines animées du **Watercourt**. De l'extrémité du Watercourt, on accède à la station supérieure de l'Angel's Flight Railway, surnommé «le chemin de fer le plus court au monde». Ce funiculaire permet de faire le lien entre Bunker Hill et Hill Street en 70 secondes, à un angle de 33°. Au moment de son entrée en service en 1901, Bunker Hill était un quartier résidentiel très convoité, et les résidents l'utilisaient pour rejoindre leurs demeures lorsqu'ils revenaient du quartier commercial qui s'étalait à leurs pieds. Maintenant, ce funiculaire est surtout prisé, quoique pas exclusivement, par les touristes, et les départs ne sont espacés que de quelques minutes.

Grand Central Market ★ [9]
tlj 9h à 18h; 317 S. Broadway, 213-624-2378, www.grandcentralsquare.com

Face à la station inférieure de l'Angel's Flight se trouve un des attraits les plus fascinants du centre-ville de L.A., le Grand Central Market, qui couvre un quadrilatère délimité par South Broadway, Third Street, Hill Street et Fourth Street. Ce marché public bourdonne d'activités depuis son ouverture en 1917 et répond aux besoins alimentaires de Los Angeles avec ses douzaines de kiosques vendant à qui mieux mieux des fruits et légumes frais, de la viande, du poisson, des produits laitiers et divers

Le centre-ville de Los Angeles

1

autres aliments qui reflètent bien la diversité culturelle de la ville. Il accueille en outre plusieurs restaurants et casse-croûte très populaires auprès des résidents, en particulier les hispanophones. La sortie opposée du Grand Central Market donne sur South Broadway.

Central Library ★★ [10]

lun-jeu 10h à 20h, ven-sam 10h à 18h, dim 13h à 17h; 630 W. Fifth St., entre Grand St. et Flower St., 213- 228-7000, www.lapl.org/central

La Central Library constitue le pivot du vaste réseau de bibliothèques publiques de L.A. et s'impose comme une bibliothèque de référence de tout premier plan, avec près de 3 millions de livres et autres documents. Conçu en 1922, le bâtiment a fait l'objet d'importants travaux de rénovation et d'agrandissement à la suite de deux incendies dévas-

tateurs survenus en 1986. L'ajout d'une aile et de niveaux souterrains a permis de doubler la capacité de la bibliothèque, et la création d'un atrium éclairé par une verrière ajoute incontestablement à l'attrait de l'édifice avec ses motifs vaguement égyptiens. Le terrain qui entoure la bibliothèque accueille les **Maguire Gardens**, du nom d'un important bienfaiteur, abondamment arborés et pourvus de nombreux bancs.

L.A. Live ★★ [11]

dans le quadrilatère délimité par 11th St., Figueroa St., Olympic Blvd. et l'autoroute 110, 213-763-5483, www.lalive.com

Le complexe de divertissement L.A. Live occupe le secteur sud du centre-ville. En quelque sorte le Times Square de la Côte Ouest, ce mégaprojet de 2,5 milliards de dollars, inauguré en août 2009, est devenu un attrait incontournable de la grande région de Los Angeles. La première construction complétée fut le **Nokia Theatre** [12] *(777 Chick Hearn Court, angle Figueroa St., 213-763-6000, www.nokiatheatrelalive.com; voir p. 43)*. Cette salle de spectacle de 7 100 places est située devant le **Staples Center** [13] *(1111 S. Figueroa St., 213-742-7340, www.staplescenter.com; voir p. 162)*, qui accueille les équipes professionnelles de hockey (Kings) et de basketball (Lakers et Clippers) de Los Angeles. Parmi les autres immeubles qui font partie du complexe L.A Live, on retrouve notam-

1. Los Angeles Memorial Coliseum.
2. California African American Museum.

ment le **GRAMMY Museum** ★ [14] *(12,95$; lun-ven 11h30 à 19h30, sam-dim 10h à 19h30; 800 W. Olympic Blvd., 213-763-5483, www. grammymuseum.org)*, qui rend à la fois hommage aux célèbres Grammy Awards et à l'histoire de la musique, surtout américaine. Sur quatre étages, des expositions, des activités interactives et des films sur la création musicale éduquent et inspirent les visiteurs.

Exposition Park ★★ [15]
accessible par la ligne F du réseau d'autobus DASH ou en prenant la sortie Exposition Park de l'autoroute 110; www.expositionpark.org
Situé à quelque 1,5 mi (3 km) au sud du centre-ville, l'Exposition Park abrite un immense centre des sciences qui comprend un cinéma IMAX, deux musées, un jardin de roses et l'imposant **Los Angeles Memorial Coliseum** *(www. lacoliseumlive.com/joomla)*, où se sont déroulés les grands événements des Jeux olympiques de 1932 et de 1984.

Le **California Science Center** ★★ [16] *(entrée libre pour les expositions permanentes, stationnement 10$; tlj 10h à 17h; 700 Exposition Park Dr., Exposition Park, 323-724-3623, www.californiascience-center.org)* compte parmi les favoris des familles en ce qu'il suscite la participation des enfants grâce à de nombreuses vitrines interactives consacrées à l'exploration de différents phénomènes physiques, biologiques et technologiques. Pour sa part, le **California African American Museum** ★★ [17] *(entrée libre, stationnement 10$; mar-sam 10h à 17h, dim 11h à 17h; 600 State*

Le centre-ville de Los Angeles

Natural History Museum of Los Angeles County.

Dr., Exposition Park, 213-744-7432, www.caamuseum.org) présente des expositions permanentes et temporaires dépeignant divers aspects de l'histoire des cultures africaines et afro-américaines, y compris des vestiges historiques et des œuvres d'art contemporain. Enfin, le **Natural History Museum of Los Angeles County** ★ [18] *(12$; tlj 9h30 à 17h; 900 Exposition Blvd., 213-763-3466, www.nhm.org)* abrite quelque 35 millions de spécimens couvrant une période de 4,5 millions d'années. Il attire de nombreux visiteurs captivés par son hall des dinosaures, mais comprend aussi des sections dédiées aux mammifères d'Amérique du Nord et d'Afrique, aux oiseaux, aux insectes, aux espèces marines et aux cultures amérindiennes.

Cafés et restos

(voir carte p. 33)

Grand Central Market *$* [23]
délimité par Broadway, Third St., Hill St. et Fourth St.

Beaucoup plus intéressant que n'importe quelle aire de restauration moderne et aseptisée, le **Grand Central Market** (voir p. 37) renferme quelques petits restaurants proposant des plats économiques et savoureux dans un cadre atmosphérique. Parmi les favoris, retenons **Maria's Fresh Seafood**, **Tacos Tumbras a Tomas**, **Roast to Go** et **China Cafe**.

Philippe the Original *$* [26]
1001 N. Alameda St., angle Ord St., 213-628-3781, www.philippes.com

Ouvert depuis 1908, il s'agit là d'un des plus vieux restaurants de la ville. Ses propriétaires prétendent que c'est ici même qu'on a inventé le sandwich «bœuf et sauce» *french dip* (des tranches de bœuf rôti étalées sur un pain baguette préalablement trempé dans un jus de viande). Le ragoût de bœuf est un autre favori de la maison. Détail intéressant : un café simple est servi pour 9 cents... depuis 1924.

Shabu Shabu House *$-$$* [27]
127 Japanese Village Plaza, près de Los Angeles St., 213-680-3890
Ce populaire établissement de la Petite Tokyo se spécialise dans les fondues à la viande et aux légumes, qu'on plonge dans un bouillon assaisonné.

Cole's *$$* [21]
118 E. Sixth St., 213-622-4090, www.colesfrenchdip.com
Plus qu'un restaurant, une institution! Depuis son ouverture, plus de 400 films ont été tournés ici, et il n'est pas rare d'y croiser une vedette venue déguster un *french dip*, leur fameux sandwich trempé dans une sauce à la viande. Ouvert depuis 1908 tout comme son compétiteur Philippe the Original (voir ci-dessus), Cole's revendique également la paternité du *french dip*. Qui dit vrai : Philippe the Original ou Cole's?

Frying Fish *$$* [22]
120 Japanese Village Plaza, 213-680-0567
Pour savourer de délicieux sushis à prix raisonnable, on doit se rendre au Frying Fish, situé à proximité du **Geffen Contemporary at MOCA** (voir p. 36).

Café Pinot *$$$-$$$$* [19]
700 W. Fifth St., 213-239-6500, www.patinagroup.com
Ce restaurant où se mêlent harmonieusement les cuisines française et californienne a pignon sur rue sur les lieux mêmes de la Central Library, et il s'enorgueillit aussi bien d'une salle à manger que d'une terrasse au jardin.

Traxx *$$$-$$$$* [28]
800 N. Alameda St., à l'intérieur de l'Union Station, 213-625-1999, www.traxxrestaurant.com
Ce restaurant du centre-ville s'impose comme le carrefour des cuisines asiatiques, italienne et française, mais aussi comme le carrefour des voyageurs puisqu'il loge dans la spectaculaire gare de l'**Union Station** (voir p. 31), construite en 1939.

Cicada *$$$$* [20]
617 S. Olive St., 213-488-9488, www.cicadarestaurant.com
Il convient de réserver pour espérer s'attabler dans l'un des restos italiens les plus appréciés de Los Angeles, le Cicada. Le menu élaboré avec soin par la chef Suzay Cha prend résolument des couleurs d'Italie du Nord, et ce, de l'entrée au dessert. Certains reconnaîtront le beau décor Art déco. C'est ici que la *Pretty Woman*, incarnée par Julia Roberts, a maille à partir avec un plat d'escargots!

Pacific Dining Car *$$$$* [24]
1310 W. Sixth St., angle Witmer St.,
213-483-6000, www.pacificdiningcar.com

Le doyen des *steakhouses* de L.A. est une bonne adresse à retenir à toute heure du jour. En effet, on y sert jour et nuit des viandes et des poissons bien apprêtés dans une ambiance tranquille à souhait, voire intimiste. Il vaut mieux réserver pour éviter les mauvaises surprises.

Patina *$$$$* [25]
141 S. Grand Ave., 213-927-3331,
www.patinarestaurant.com

Le restaurant Patina, situé à l'intérieur du prestigieux **Walt Disney Concert Hall** (voir p. 34), est l'un des deux seuls relais gourmands de l'association Relais & Châteaux à Los Angeles. Le luxueux restaurant propose une cuisine française contemporaine et est reconnu pour ses menus dégustation, ses caviars, sa carte des vins et sa sélection de fromages.

Water Grill *$$$$* [29]
544 S. Grand Ave., entre Fifth St. et Sixth St.,
213-891-0900, www.watergrill.com

Une salle à manger de grand style, où le bois, le cuir et le cuivre se marient admirablement, accueille les convives venus goûter les célèbres plats de poisson et fruits de mer qui ont fait la réputation du Water Grill.

Bars et boîtes de nuit

(voir carte p. 33)

Point Moorea [30]
Wilshire Grand Hotel, 930 Wilshire Blvd.,
213-833-5100, www.wilshiregrand.com

Inspiré des *Tiki Bars* des années 1950 et 1960, le bar du Wilshire Grand Hotel est notamment populaire pour ses cinq à sept.

Rooftop Bar [31]
The Standard Hotel, 550 S. Flower St.,
213-892-8080, www.standardhotel.com

Le Rooftop Bar est probablement le bar le plus spectaculaire de la ville. Situé sur le toit de l'hôtel **The Standard** (voir p. 141) au cœur du centre-ville, cet établissement ultramoderne offre une vue unique et attire une clientèle résolument jet-set.

The Bona Vista Lounge [32]
Westin Bonaventure Hotel & Suites,
404 S. Figueroa St., 213-624-1000

Au sommet de l'hôtel Westin Bonaventure, le Bona Vista Lounge offre une vue panoramique sur la ville depuis son bar à cocktails tournant. L'ambiance feutrée et les banquettes cintrées assurent une fin de soirée des plus romantiques.

The Mayan [33]
ven-sam; 1038 S. Hill St., 213-746-4674,
www.clubmayan.com

Le Mayan est aménagé dans un immeuble historique inspiré de l'époque précolombienne. Les amateurs de musique latine du centre-

Nokia Theatre.

ville s'y donnent rendez-vous les samedis, alors que des groupes de salsa animent la salle.

The Varnish [34]
118 E. Sixth St., 213-622-9999,
www.thevarnishbar.com

The Varnish fait partie de ces bars de type *speakeasy* qui revisitent la grande époque de la Prohibition. S'il n'y a pas de mot de passe à souffler discrètement à l'oreille du portier, encore faut-il trouver la porte d'entrée, bien cachée tout au fond du restaurant **Cole's** (voir p. 41). Les clients fidèles y viennent pour la qualité des cocktails et cette ambiance de chuchotement qui feint l'interdit.

Villains Tavern [35]
1356 Palmetto St., 213-613-0766,
www.villainstavern.com

Située à l'est du centre-ville, près de la rivière Los Angeles, la Villains Tavern vaut le détour pour son ambiance unique et ses spectacles de musique bluegrass et rockabilly mettant en vedette de jeunes musiciens habiles. Grande terrasse.

Salles de spectacle
(voir carte p. 33)

Nokia Theatre [36]
777 Chick Hearn Court, angle Figueroa St.,
213-763-6030, www.nokiatheatrelalive.com

Le Nokia Theatre fait partie du complexe de divertissement **L.A. Live** (voir p. 38). Il présente notamment des concerts de musique populaire.

Performing Arts Center of Los Angeles County [37]
sur Grand Ave. entre Second St. et Temple St.,
213-972-7211, www.musiccenter.org

Le Performing Arts Center of Los Angeles County, également connu

Le centre-ville de Los Angeles

sous le nom de **Music Center** (voir p. 34), regroupe les salles de spectacle les plus importantes de Los Angeles pour la musique classique et l'opéra, mais aussi pour plusieurs autres types de musique et le théâtre.

Lèche-vitrine

(voir carte p. 33)

Alimentation

Grand Central Market [41]
sur Broadway entre Third St. et Fourth St.

Le **Grand Central Market** (voir p. 37) est un marché qui vend entre autres des produits en vrac, des viandes fraîches et de bons repas pas chers que l'on peut s'offrir sur place ou emporter.

Artères commerciales

Broadway [38]

Broadway se trouve au cœur de la zone historique du centre-ville de Los Angeles. Plusieurs entreprises y font surtout affaire avec les importantes communautés mexicaines et centraméricaines de la ville, surtout entre Third Street et Ninth Street, un secteur particulièrement vivant et un bon endroit où trouver des articles électroniques bon marché, des sacs et valises en tous genres, ainsi que des vêtements, notamment des jeans, et des chaussures à bas prix.

Olvera Street [43]
www.olvera-street.com

Olvera Street, située à la limite nord du quartier historique d'**El Pueblo** (voir p. 30), est une rue piétonnière bordée de comptoirs d'artisanat et de restaurants mexicains. On y trouve un choix intéressant d'articles de cuir, de tissus, de vêtements, de bijoux, de peintures et de sculptures.

Bijoux

Jewelry District [42]
le long d'Olive St., Hill St. et Broadway Ave., entre Fifth St. et Eighth St., www.lajd.net

Dans le Jewelry District, une centaine de petites boutiques offrent un vaste choix de bijoux et de montres à prix réduit, fabriqués dans la région ou importés d'Asie.

Centre commercial

FIGat7th [40]
angle Seventh St. et Figueroa St., www.figat7th.com

Dans la partie ouest du centre-ville se trouve ce charmant centre commercial en plein air, aménagé autour d'un atrium circulaire de trois étages assez unique et comptant deux magasins à grande surface et une cinquantaine de boutiques.

Jouets et appareils électroniques

Toy District [45]
délimité par Third St. au nord, Fifth St. au sud, Los Angeles St. à l'ouest et San Pedro St. à l'est

Dans le Toy District, qui s'étend sur une douzaine de quadrilatères, dif-

Olvera Street.

férents fabricants non seulement de jouets mais aussi de DVD, de jeux vidéo, d'appareils électroniques, de montres, de valises et de parfums, vendent à rabais leurs produits.

Mode

Fashion District [39]
délimité par Broadway à l'ouest, Fifth St. au nord, Griffith Ave. à l'est et la Santa Monica Freeway au sud, www.fashiondistrict.org

Dans la partie sud-est du centre-ville se trouve le grand Fashion District. Plus de 700 grossistes y offrent un éventail de produits griffés et génériques de 30% à 70% moins chers que dans les grands magasins.

Souvenirs

Skeletons In The Closet [44]
1104 N. Mission Rd., 323 343 0760

Cette intéressante boutique située sur deux étages au-dessus de la morgue de la ville, d'où son nom, est une initiative du coroner du comté de Los Angeles. Vous y trouverez une gamme de produits-souvenirs qui stimuleront votre appréciation de l'humour noir.

Le centre-ville de Los Angeles

2 ↘

Hollywood et ses environs

Hollywood et ses environs

À voir, à faire

(voir carte p. 48-49)

Aucun nom n'évoque davantage la magie du cinéma qu'Hollywood. Il suffit en effet de prononcer ce mot à peu près n'importe où sur Terre pour qu'aussitôt surgissent à l'esprit des images de splendeur et de romantisme d'emblée associées au grand écran et à la vie des stars. Si Hollywood est bel et bien un quartier phare de Los Angeles, l'idée que l'on a du Hollywood du cinéma et de la télévision est toutefois à l'image de la ville elle-même, décentralisé, avec ses grands studios établis aux quatre coins du comté de Los Angeles.

Ce circuit couvre le district d'Hollywood, dont les attraits se trouvent presque tous sur Hollywood Boulevard, le Griffith Park, situé tout près dans le district voisin de Los Feliz, ainsi que la ville de West Hollywood, l'un des endroits les plus courus de la grande région de Los Angeles.

Hollywood ★

Hollywood est aujourd'hui, avec le centre-ville de Los Angeles, l'endroit où les investissements substantiels sont les plus nombreux. On rebâtit les théâtres abandonnés, on retape les tours de bureaux, et nombre d'immeubles résidentiels décrépits ont été ressuscités. Des hôtels luxueux ont été inaugurés en grande pompe, et l'on remplace graduellement les boutiques de souvenirs bon marché par des commerces de détail plus intéressants.

Hollywood Sign ★ [1]

www.hollywoodsign.org

Le point de repère le plus familier de tout Los Angeles est sans doute le Hollywood Sign, l'enseigne embléma-

Hollywood Boulevard.

tique dont les lettres de 15 m sont plantées à une hauteur de 500 m sur le mont Lee, dans une zone interdite du **Griffith Park** (voir p. 53). On peut facilement l'apercevoir d'une très grande distance, et ce, sur une grande partie du territoire de Los Angeles. À l'origine, en 1923, les lettres formaient le mot «Hollywood-land» et servaient à annoncer un développement domiciliaire. En 1945, l'enseigne a été cédée à la chambre de commerce d'Hollywood qui en a supprimé les quatre dernières lettres.

Hollywood Boulevard ★★ [2]

Artère phare d'Hollywood, Hollywood Boulevard est constamment bondé de touristes provenant de toute la planète. On peut effectuer la visite à pied puisque les principaux attraits sont regroupés sur une section d'environ 1,5 km du boulevard, entre La Brea Avenue, à l'ouest, et Vine Street, à l'est, et dont le cœur se trouve à l'intersection de Highland Avenue.

Hollywood Walk of Fame ★ [3]

sur Hollywood Blvd. entre La Brea Ave. et Gower St., et sur Vine St. entre Sunset Blvd. et Yucca St.

Depuis 1960, on a ici immortalisé par des étoiles sur le trottoir quelque 2 400 vedettes du cinéma, de la télévision et de l'industrie musicale. Une quinzaine de nouvelles étoiles s'ajoutent chaque année lors de cérémonies individuelles en présence de l'artiste célébré. Pour consulter l'horaire des prochaines cérémonies ou pour trouver l'emplacement exact de l'étoile de votre vedette préférée, visitez le site Internet de la **Hollywood Chamber of Commerce** (www.hollywoodchamber.net).

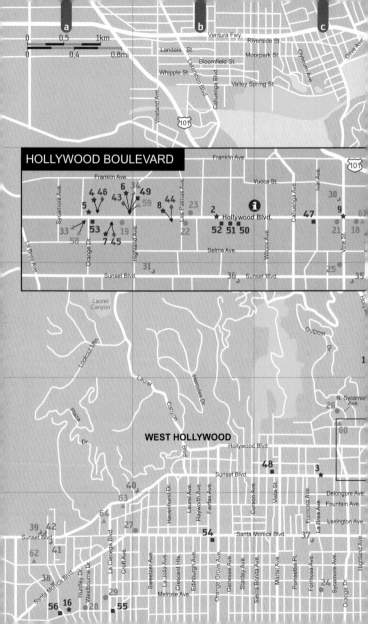

©ULYSSE

134

5

d e f

★ 14

★ 13

★ 15

v

Mt. Sinai
Memorial Park

✝

Forest Lawn
Memorial Park
Hollywood Hills

11 ★

Griffith
Park

N

Santa   Monica

Mountains

Hollywood
Sign   ★ 1

w

LOS FELIZ

Hollywood
Reservoir

Beachwood Dr.

Canyon Dr.

Western Canyon Rd.

12 ★
Griffith
Observatory

x

Los Feliz Blvd.

Hillhurst Ave.

Commonwealth Ave.

101

Franklin Ave.

Winona Blvd.

Mariposa Ave.

y

Voir Hollywood Boulevard

Selma Ave.

Argyle Ave.

Hollywood Blvd.

Western Ave.

Serrano Ave.

57

Sunset Blvd.

Hobart Blvd.

20

Normandie Ave.

Alexandria Ave.

Edgemont St.

Vermont Ave.

Wilcox Ave.

Cole Ave.

Vine St.

32

Cahuenga Ave.

Gower St.

Gordon St.

Bronson Ave.

Wilton Pl.

Santa   Monica   Blvd.

Hobart Blvd.

Oxford Ave.

Kenmore Ave.

Heliotrope Dr.

Vermont Ave.

Madison Ave.

Virgil Ave.

z

Romaine St.

El Centro Ave.

Willoughby Ave.

Waring Ave.

Van Ness Ave.

Ridgewood Pl.

Western Ave.

Melrose Ave.

101

Melrose Ave.

17

Hollywood et ses environs

À voir, à faire ★

Hollywood
1.	DW	Hollywood Sign
2.	BW	Hollywood Boulevard
3.	CY	Hollywood Walk of Fame
4.	AW	Grauman's Chinese Theatre
5.	AW	Madame Tussauds Hollywood
6.	AW	Dolby Theatre
7.	AW	El Capitan Theatre
8.	BW	Egyptian Theatre
9.	CW	Hollywood and Vine
10.	CX	Hollywood Bowl/Hollywood Bowl Museum

11.	FV	Griffith Park
12.	EX	Griffith Observatory
13.	FV	Los Angeles Zoo and Botanical Gardens
14.	EV	Travel Town Museum
15.	FV	Autry National Center of the American West

West Hollywood
16.	AZ	Pacific Design Center /MOCA Pacific Design Center

Cafés et restos ●

Hollywood
17.	FZ	ChaChaCha
18.	CW	Delphine
19.	AW	Disney's Soda Fountain and Studio Store
20.	EY	Jitlada
21.	CW	Katsuya
22.	BW	Miceli's

23.	BW	Musso and Frank Grill
24.	CZ	Pink's Hot Dog
25.	CX	The Hungry Cat
26.	CY	Yamashiro

West Hollywood
27.	BZ	Hugo's
28.	AZ	Le Pain Quotidien
29.	AZ	Le Petit Bistro

Bars et boîtes de nuit ♩

Hollywood
30.	CW	Avalon Hollywood
31.	BX	Catalina Jazz Club
32.	DZ	El Floridita
33.	AW	Library Bar
34.	AW	Lucky Strike Lanes
35.	CX	The Bowery
36.	BX	The Cat & Fiddle

West Hollywood
37.	CZ	Formosa Café
38.	AZ	Rage
39.	AZ	Rock And Reilly's
40.	BY	Saddle Ranch
41.	AZ	Viper Room
42.	AZ	Whisky A Go-Go

Salles de spectacle ◆

Hollywood
43.	AW	Dolby Theatre
44.	BW	Egyptian Theatre

45.	AW	El Capitan Theatre
46.	AW	Grauman's Chinese Theatre

Lèche-vitrine ■

Hollywood
47.	CW	Amoeba Music
48.	CY	Guitar Center
49.	AW	Hollywood & Highland Center
50.	BW	Hollywood Book and Poster Co.
51.	BW	Hollywood Toys & Costumes
52.	BW	Larry Edmunds Bookshop

53.	AW	Off Broadway

West Hollywood
54.	BZ	Fred Segal
55.	AZ	Melrose Place
56.	AZ	The Avenues – Art, Fashion & Design District

Hébergement ▲

Hollywood
57.	EY	Hollywood City Inn
58.	AW	Hollywood Roosevelt Hotel
59.	AW	Loews Hollywood Hotel
60.	CY	Magic Castle Hotel

61.	CW	W Hollywood

West Hollywood
62.	AZ	Le Montrose Suite Hotel
63.	AZ	Mondrian
64.	AZ	Sunset Marquis

Grauman's Chinese Theatre ★★ [4]
6925 Hollywood Blvd., près d'Orange Dr., 323-464-8111, www.manntheatres.com/chinese

Le Grauman's Chinese Theatre, construit en 1927, a été et continue d'être l'hôte de plusieurs premières de grandes productions hollywoodiennes. Outre son architecture unique avec son extérieur en forme de pagode géante et son intérieur Art déco, on peut voir dans son avant-cour le *Forecourt of the Stars*, où, depuis 1927, quelques grands noms du cinéma ont eu l'honneur de laisser leurs signatures et empreintes bétonnées.

Madame Tussauds Hollywood [5]
30$, rabais avantageux offerts en ligne; tlj à partir de 10h; 6933 Hollywood Blvd., 323-798-1670, www.madametussauds.com

Situé tout juste à côté du Grauman's Chinese Theatre, le Madame Tussauds Hollywood présente plus de 100 sculptures de cire de personnages célèbres, grandeur nature et fidèles jusque dans les moindres détails, dont la plupart sont des acteurs hollywoodiens.

Dolby Theatre ★ [6]
6801 Hollywood Blvd., 323-308-6333, www.dolby.com

Le majestueux Dolby Theatre, anciennement connu sous le nom de Kodak Theatre, arbore une architecture inspirée des grandes salles d'opéra européennes et accueille les Academy Awards depuis son ouverture en 2002. Il est possible

El Capitan Theatre.

de prendre part à une intéressante visite guidée de 30 min *(15$; lun-ven 10h30 à 16h, sam-dim 8h30 à 11h30)* qui permet de découvrir l'envers du décor de la célèbre cérémonie des Oscars.

El Capitan Theatre ★ [7]
6838 Hollywood Blvd., angle Highland Ave., 818-845-3110, www.disney.go.com/disneypictures/el_capitan

Le El Capitan Theatre a été construit en 1926. Doté d'un riche décor extérieur colonial espagnol de même que d'un opulent aménagement intérieur, il fut notamment le lieu de la première du film *Citizen Kane* d'Orson Welles en 1941. L'immeuble a été restauré par l'organisation Disney et présente aujourd'hui des primeurs cinématographiques et des spectacles sur scène de l'entreprise.

Hollywood et ses environs

La légende d'Hollywood

Les origines du cinéma américain remontent à la première décennie du XXe siècle. À New York, des créateurs indépendants y produisent les premières œuvres de ce septième art qui n'en est qu'à ses premiers balbutiements. À l'époque, tous les films étaient tournés en extérieur, et les contraintes climatiques arrêtaient la production pendant la saison hivernale. Décidée à prendre le contrôle de cette nouvelle industrie qui génère déjà de bons profits, une certaine mafia commence à harceler les petits producteurs dans le but d'acheter leur entreprise et de les asservir par la suite. Certains d'entre eux quittent donc la Côte Est pour s'en aller vers des cieux plus cléments, où les conditions climatiques et d'ensoleillement leur permettraient de tourner toute l'année durant, à l'abri des rapaces du crime organisé. En 1911, David Horsley loue pour 30 dollars par mois la taverne Blondeau, située au coin de Sunset Boulevard et de Gower Street, dans la paisible banlieue rurale d'Hollywood. Il y réalise *The Law of the Range*, premier film tourné en studio de l'histoire hollywoodienne. D'autres entrepreneurs flaireront le filon et viendront fonder des studios de production sur Sunset Boulevard. La légende hollywoodienne était née…

Egyptian Theatre ★ [8]
6712 Hollywood Blvd., angle Las Palmas Ave., 323-461-2020, www.egyptiantheatre.com

L'historique Egyptian Theatre a été l'hôte, lors de son année inaugurale en 1922, du premier film à tenir une première à Hollywood, *Robin Hood* (Robin des bois), une des premières grandes productions cinématographiques. Le théâtre a subi d'importants travaux de rénovation pendant les années 1990 qui en ont préservé les éléments d'origine, tels ses hiéroglyphes et son sphinx. Il sert aujourd'hui de siège pour l'**American Cinematheque** (*www.americancinematheque.com*), un organisme sans but lucratif qui présente diverses rétrospectives fort intéressantes.

Hollywood and Vine ★ [9]
angle Hollywood Blvd. et Vine St.

La célèbre intersection «Hollywood and Vine» représentait dans les années 1920 le cœur du secteur des industries du cinéma et de la radio, et accueillait plusieurs des restaurants et boîtes de nuit que fréquentaient les vedettes de

Capitol Records Tower.

l'époque. On y trouve encore les principaux édifices historiques de la grande époque, dont certains maintiennent leurs fonctions originales. Dans Vine Street, à une demi-rue au nord d'Hollywood Boulevard, pointe vers le ciel l'emblématique **Capitol Records Tower** *(1750 N. Vine St.)*, le premier immeuble de bureaux circulaire au monde, érigé en 1956, qui revêt l'aspect d'une pile de disques de vinyle surmontée d'une aiguille de phonographe.

Hollywood Bowl ★★ [10]
2301 N. Highland Ave., 323-850-2000, www.hollywoodbowl.com

Le plus grand amphithéâtre naturel au monde, le Hollywood Bowl est l'endroit privilégié pour les concerts extérieurs à Los Angeles. Niché dans les Hollywood Hills, l'amphithéâtre de 17 000 places est la résidence d'été de l'Orchestre philharmonique de Los Angeles depuis 1922. L'endroit accueille entre la fin mai et la fin septembre de nombreux concerts classiques, mais aussi des comédies musicales et des spectacles des grands noms de la musique populaire et du jazz. Le musée adjacent, le **Hollywood Bowl Museum** *(entrée libre; mar-sam 10h à 20h, dim 16h jusqu'au début des concerts; 323-850-2058, www.hollywoodbowl.com/about/museum.cfm)*, présente, à l'aide de photos, de vidéos et d'affiches, les grands moments de l'histoire du Hollywood Bowl.

Griffith Park ★★ [11]
entrée libre; tlj 6h à 22h; 323-913-4688, www.laparks.org/dos/parks/griffithpk

Le Griffith Park se trouve dans le district de Los Feliz, dans les collines d'Hollywood. Il s'impose comme le plus grand espace vert de toute la région de Los Angeles et est l'un des plus grands parcs urbains d'Amérique du Nord. Ce parc très accidenté de 17 km², aménagé dans un secteur semi-désertique par endroits, compte de nombreux attraits, entre autres des terrains de golf, des sentiers de randonnée (à pied, à bicyclette ou à cheval) et de nombreuses aires de pique-nique. Il renferme aussi un secteur du Forest Lawn Memorial Park, le Greek Theatre, le Griffith Observatory, le Los Angeles Zoo, le Travel Town Museum et l'Autry Museum of the American West (voir ci-dessous).

Griffith Observatory ★★ [12]

entrée libre; mar-ven 12h à 22h, sam-dim 10h à 22h; 2800 E. Observatory Rd., Griffith Park, entrée par Los Feliz Ave., 213-473-0800, www.griffithobs.org

Le Griffith Observatory, situé dans le secteur sud du Griffith Park, est une structure emblématique coiffée de trois dômes et perchée au sommet d'une colline. Même ceux qui ne s'intéressent pas particulièrement à l'astronomie en apprécieront la visite, ne serait-ce que pour les vues à couper le souffle de Los Angeles qu'on y a de la terrasse. Un des dômes abrite un télescope solaire à triple faisceau, un autre une lunette astronomique Zeiss de 30 cm, et le troisième, au centre, le planétarium *(7$)* à proprement parler.

Los Angeles Zoo and Botanical Gardens ★★ [13]

16$, stationnement gratuit; tlj 10h à 17h; 5333 Zoo Dr., Griffith Park, 323-644-4200, www.lazoo.org

Le Los Angeles Zoo and Botanical Gardens héberge plus de 1 200 animaux sur un territoire de 32 ha sillonné de sentiers qui parcourent différentes zones richement paysagées. Parmi les attraits les plus populaires des lieux se trouvent la Great Ape Forest, la Campo Gorilla Reserve, l'Ahmanson Koala House et le Children's Discovery Center (pour les enfants).

Travel Town Museum ★★ [14]

entrée libre, stationnement gratuit; lun-ven 10h à 16h, sam-dim 10h à 18h; 5200 Zoo Dr., Griffith Park, 323-662-5874, www.traveltown.org

Tout près du zoo, le Travel Town Museum est d'un intérêt indéniable pour les mordus des chemins de fer. Ce musée extérieur possède 16 locomotives à vapeur datant de 1864 à 1955, des wagons de passagers (y compris de luxueuses voitures-lits et voitures-bars), des wagons de fret, des fourgons de queue et une maquette ferroviaire fonctionnelle très élaborée. Des voitures-pompes anciennes ainsi qu'un train miniature dans lequel on peut faire le tour des lieux complètent le tout.

Autry National Center of the American West ★★ [15]

10$; mar-ven 10h à 16h, sam-dim 11h à 17h; 4700 Western Heritage Way, Griffith Park, 323-667-2000, www.autrynationalcenter.org

Fondé par le célèbre «cowboy chantant» américain Gene Autry en

Los Angeles Zoo and Botanical Gardens.

1988, l'Autry National Center of the American West, également situé à côté du zoo, est dédié aux nombreux aspects de la colonisation de l'ouest des États-Unis. Ainsi, les galeries tapissées de murales du musée englobent des sections consacrées à l'esprit du cowboy, mais aussi aux peuples amérindiens et aux colons espagnols.

West Hollywood ★★★

West Hollywood, une ville incorporée du comté de Los Angeles, est le principal siège des communautés gay et lesbienne de la métropole. Du fait de ses boutiques variées et souvent originales, ainsi que de son choix éclectique d'hôtels, de restaurants, de cafés et de boîtes de nuit, on le tient volontiers pour un des quartiers les plus branchés de L.A.

Deux sections de rues constituent les principaux attraits de West Hollywood. La **Sunset Strip**, une portion de 2,5 km du célèbre boulevard comprise entre Doheny Drive et Crescent Heights, abrite une forte concentration de bars et de boîtes en tout genre, de restaurants et de boutiques. Plus au sud, **Melrose Avenue** entre Santa Monica Boulevard et Fairfax Avenue, sur 2,8 km, est le rendez-vous de la mode avant-gardiste avec sa multitude de créateurs respectés. Plusieurs bistros, cafés et restaurants y ont également pignon sur rue.

Pacific Design Center ★ [16]

tlj 9h à 17h; 8687 Melrose Ave., 310-657-0800, www.pacificdesigncenter.com

C'est sur Melrose Avenue à l'angle de San Vicente Boulevard que se trouve un des complexes immobiliers les plus intéressants de tous les

États-Unis. Le Pacific Design Center (PDC) est composé de trois bâtiments spectaculaires. Le principal est un édifice géant de sept étages enveloppé de verre incurvé de couleur bleu cobalt, construit en 1975 et communément appelé la *Blue Whale* (baleine bleue). Une addition ultérieure aux vitres teintées d'un vert vif a été inaugurée en 1988. Le troisième et dernier édifice du complexe, le Red Building, d'un rouge éclatant, a été terminé en août 2010.

Ce vaste complexe abrite en priorité des salles d'exposition à l'intention des commerçants en gros (notamment dans le design d'intérieur), mais sert également à des congrès et à des manifestations culturelles. On y trouve aussi des attraits ouverts au public, particulièrement le **MOCA Pacific Design Center** ★★ (*entrée libre; mar-ven 11h à 17h, sam-dim 11h à 18h; 213-621-1741*), ce pavillon du **Museum of Contemporary Art (MOCA)** (voir p. 36) qui propose des expositions portant sur l'art, l'architecture et le design.

Cafés et restos

(*voir carte p. 48-49*)

Hollywood

Disney's Soda Fountain and Studio Store $ [19]
6834 Hollywood Blvd., face au Hollywood & Highland Center, 323-817-1475, www.disneysodafountain.com

Situé à côté du théâtre **El Capitan** (voir p. 51), le Disney's Soda Fountain propose non seulement des *sundaes* (coupes glacées), des laits fouettés et des glaces, mais aussi un petit menu composé de mets simples comme les hamburgers, spaghettis, crêpes et sandwichs.

Pink's Hot Dog $ [24]
709 La Brea Ave., près de Melrose Ave., 323-931-7594, www.pinkshollywood.com

Véritable institution à Los Angeles depuis 1939, Pink's Hot Dog est un petit casse-croûte qui passerait tout à fait inaperçu si ce n'était de sa longue file d'attente, présente à toute heure du jour et du soir. L'attrait de l'endroit? Son fameux *chili dog*, un hot-dog généreusement garni de chili maison, de moutarde et d'oignon.

Jitlada $$ [20]
5233 ½ W. Sunset Blvd., 323-663-3104, www.jitladala.wordpress.com

L'authentique cuisine thaïlandaise de cet établissement offre un contraste des plus agréables à l'extérieur plutôt morne du mini-centre commercial dans lequel il se trouve. Ses plats de viande, de fruits de mer et de nouilles sont tous savamment assaisonnés et garnis de sauces à faire rêver.

Miceli's $$ [22]
1646 N. Las Palmas, près d'Hollywood Blvd., 213-466-3438, www.micelisrestaurant.com

Le doyen des restaurants de cuisine italienne d'Hollywood (1949) n'a rien perdu de son essence originale. Les repas se prennent sur de jolies nappes à carreaux sous un plafond lambrissé auquel des centaines de bouteilles vides de chianti sont suspendues. Moyennant un prix raison-

Pink's Hot Dog.

nable, on peut se satisfaire de pizzas à croûte mince ou de la spécialité de la maison, les *linguine pescatore*.

ChaChaCha $$-$$$ [17]
656 N. Virgil Ave., angle Melrose Ave., Silver Lake, 323-664-7723,
www.theoriginalchachacha.com

Situé dans le district de Silver Lake, à l'est d'Hollywood, le sympathique ChaChaCha propose des *empanadas*, des plats de fruits de mer épicés et d'autres spécialités caribéennes. Les classiques de la cuisine cubaine, portoricaine, jamaïquaine et haïtienne rivalisent sur la carte, pour le plus grand plaisir des convives en quête d'exotisme.

Delphine $$-$$$ [18]
W Hollywood, 6250 Hollywood Blvd.,
323-798-1355, www.restaurantdelphine.com

Installé dans le grand complexe hôtelier du **W Hollywood** (voir p. 142), le Delphine prend des airs de Côte d'Azur sous la tutelle du chef français Sascha Lyon. Les huîtres fraîches et les plats de poisson sont à l'honneur, bien que le reste du menu soit invariablement californien avec ses larges portions de frites et ses sandwichs servis à l'heure du midi.

The Hungry Cat $$-$$$ [25]
1535 N. Vine St., 323-462-2155,
www.thehungrycat.com

Les fruits de mer sont la spécialité du Hungry Cat. Huîtres, crabe, moules, palourdes et oursins y sont cuisinés et assaisonnés de différentes manières, puis servis accompagnés de légumes frais. Le tout est savoureux. Pragmatique, le chef a aussi prévu des steaks fondants et des frites craquantes pour sa clientèle.

Hollywood et ses environs

El Floridita.

Katsuya $$$-$$$$ [21]
6300 Hollywood Blvd., angle Vine St.,
323-871-8777, www.sbe.com/katsuya

Les grandes portes vitrées de l'élégant restaurant japonais Katsuya s'ouvrent sur un très beau bar bordé de deux salles à manger. Les sushis sont succulents et attirent une clientèle branchée et de nombreuses célébrités.

Musso and Frank Grill
$$$-$$$$ [23]
6667 Hollywood Blvd., angle Cahuenga Blvd.,
323-467-7788, www.mussoandfrank.com

Plus ancien restaurant d'Hollywood, cette grilladerie est installée depuis 1919 dans un bâtiment dont l'intérieur est garni de panneaux de bois sombres, de murales et de banquettes de cuir rouge. Son bar et son grill ouvert lui confèrent un air de club privé qui reflète bien la longue tradition de l'établissement.

Yamashiro $$$-$$$$ [26]
1999 N. Sycamore Ave., 323-466-5125,
www.yamashirorestaurant.com

Bien que la nourriture et le service soient eux-mêmes valables dans ce très romantique restaurant japonais, les gens s'y rendent surtout pour la vue extraordinaire qu'il offre sur la ville en contrebas. Le thon grillé compte parmi les spécialités de la maison, mais il ne faudrait pas pour autant oublier les sushis, les sashimis et les tempuras.

West Hollywood

Hugo's $-$$ [27]
8401 Santa Monica Blvd., 323-654-3993,
www.hugosrestaurant.com

Ce petit restaurant décontracté au décor plutôt quelconque quoique lumineux se prolonge de quelques tables en bordure du trottoir et propose un menu varié le matin, le midi et le soir, l'accent portant surtout sur les pâtes et d'autres plats italiens.

Le Pain Quotidien $-$$ [28]
8607 Melrose Ave., 310-854-3700,
www.lepainquotidien.us

À la fois boulangerie française, comptoir pâtissier et restaurant, le Pain Quotidien offre un menu de salades biologiques et de tartines salées, affiché sur un tableau noir surplombant une grande table commune. Les soupes du jour sont particulièrement savoureuses, et ingénieuses dans leur composition.

Le Petit Bistro $$-$$$ [29]
631 N. La Cienega Blvd., angle Melrose Ave.,
310-289-9797, www.lepetitbistro.us

Ce bistro français arbore un décor à l'ancienne et propose aussi bien des classiques que des plats revisités de façon intéressante. Agréable terrasse.

Bars et boîtes de nuit

(voir carte p. 48-49)

Hollywood

Avalon Hollywood [30]
1735 N. Vine St., près d'Hollywood Blvd.,
323-462-8900, www.avalonhollywood.com

Parmi le grand choix de lieux de sorties à Hollywood, on compte plusieurs boîtes de nuit à la mode. C'est par exemple le cas de l'Avalon Hollywood, là où une dynamique foule de jeunes étudiants s'éclate

jusqu'aux petites heures du matin. L'endroit est aussi couru pour ses spectacles rock.

Catalina Jazz Club [31]
6725 Sunset Blvd., 323-466-2210,
www.catalinajazzclub.com

Au Catalina Jazz Club, vous pourrez prendre un repas tout en appréciant des spectacles de certains des plus grands noms du jazz contemporain.

El Floridita [32]
1253 N. Vine St., 323-871-8612,
www.elfloridita.com

Un air de *salsa* flotte en permanence chez El Floridita. Les célébrités, de Nicole Kidman à Jack Nicholson en passant par Eva Longoria, y défilent pour écouter de la musique cubaine, danser et boire. Ambiance assurée.

Library Bar [33]
Roosevelt Hotel, 7000 Hollywood Blvd.,
323-466-7000, www.thompsonhotels.com

Le Library Bar est un *lounge* pas comme les autres! Ici, c'est à partir de fines herbes, de fruits et de légumes du marché que l'on prépare de délicieux cocktails. Si l'addition est salée, le nectar se savoure toutefois dans l'ambiance feutrée et intime de ce magnifique bar qui mise sur la qualité de l'expérience.

Lucky Strike Lanes [34]
6801 Hollywood Blvd., Suite 143, 323-467-7776,
www.bowlluckystrike.com

Ce populaire établissement plutôt inusité est un *bowling lounge* où l'on boit, mange, danse, joue au billard et, bien sûr, aux quilles. Aménagé dans

Hollywood et ses environs

un style rétro des années 1960, il n'attire pas le joueur de quilles traditionnel, mais plutôt une foule jeune qui n'a pas réellement pour objectif de réaliser une partie parfaite...

The Bowery [35]
6268 Sunset Blvd., 323-465-3400,
www.theboweryhollywood.com

Du nom d'un ancien quartier malfamé de New York, The Bowery attire une clientèle qui vient «s'encailler» dans un décor vintage avec une pointe de chic telles ses banquettes de cuir. La liste des vins et des bières réconforte tous les clients, qui peuvent savourer un hamburger maison en espérant apercevoir une célébrité.

The Cat & Fiddle [36]
6530 W. Sunset Blvd., 323-468-3800,
www.thecatandfiddle.com

The Cat & Fiddle est à la fois un restaurant, un pub anglais, un café et une salle de concerts. Son jardin plaira aux visiteurs qui veulent simplement prendre un verre, alors que ceux qui ont un petit creux trouveront certainement de quoi les satisfaire au menu.

West Hollywood

Formosa Café [37]
7156 Santa Monica Blvd., angle Formosa Ave.,
323-850-9050

Le Formosa Café est un véritable bijou de l'époque glamour d'Hollywood. La nourriture ne mérite pas le détour, mais l'ambiance vaut un arrêt pour une bonne bière fraîche ou un *champagne cocktail* apprêté à l'ancienne.

Rage [38]
8911 Santa Monica Blvd., 310-652-2814

Entre les danses endiablées sur la piste et les Messieurs Muscle qui s'exhibent, le Rage porte bien son nom et représente un incontournable des nuits du Los Angeles gay.

Rock And Reilly's [39]
8911 W. Sunset Blvd, 310-360-1400,
www.rnrpub.com

Voisin du légendaire Whisky A Go-Go (voir plus loin), ce pub irlandais nouveau genre propose un calendrier d'événements chargé, une ambiance festive et plus de 60 whiskeys irlandais.

Saddle Ranch [10]
8371 Sunset Blvd., 323-656-2007,
www.srrestaurants.com

Si vous ne tenez pas à voir de vedettes, vous apprécierez le Saddle Ranch, où l'on vient faire la fête dans une ambiance qui n'est pas guindée. Décoré dans un style *Far West*, il concocte l'un des meilleurs *Long Island Iced Tea* en ville.

Viper Room [41]
8852 Sunset Blvd., 310-358-1880,
www.viperroom.com

Fondé en 1993 par l'acteur Johnny Depp, le Viper Room a fait peau neuve en 2008 et a renforcé son image jet-set. De nombreux artistes connus s'y sont produits, comme Johnny Depp lui-même, Johnny Cash et Iggy Pop.

Hollywood et ses environs

Egyptian Theatre.

Whisky A Go-Go [42]
8901 Sunset Blvd., 310-652-4202,
www.whiskyagogo.com
Légendaire bar et salle de spectacle de L.A., le Whisky A Go-Go personnifie le rock-and-roll depuis longtemps, de l'époque de Jim Morrison à celle de Guns & Roses. Un incontournable pour les groupes de musique en devenir.

Salles de spectacle

(voir carte p. 48-49)

Hollywood

Dolby Theatre [43]
6801 Hollywood Blvd., 323-308-6333,
www.dolby.com
Des concerts d'artistes d'envergure internationale sont présentés toute l'année au Dolby Theatre.

Egyptian Theatre [44]
6712 Hollywood Blvd., angle Las Palmas Ave.,
323-461-2020, www.egyptiantheatre.com
L'**Egyptian Theatre** (voir p. 52) est tout aussi spectaculaire que le Grauman's et le El Capitan, mais présente plutôt les classiques de l'histoire du cinéma américain, souvent en présence d'artistes invités.

El Capitan Theatre [45]
6838 Hollywood Blvd., angle Highland Ave.,
818-845-3110,
www.disney.go.com/disneypictures/el_capitan

Grauman's Chinese Theatre [46]
6925 Hollywood Blvd., près d'Orange Dr.,
323-464-8111, www.manntheatres.com/chinese
Le **Grauman's Chinese Theatre** (voir p. 51) et le **El Capitan Theatre** (voir p. 51), tous deux situés sur Hollywood Boulevard, projettent des films récents dans de somptueux décors évoquant la splendeur des années d'or d'Hollywood.

1. Hollywood & Highland Center.
2. Guitar Center.

Lèche-vitrine

(voir carte p. 48-49)

Hollywood

Centre commercial

Hollywood & Highland Center [49]
6801 Hollywood Blvd., angle Highland Ave.,
323-817-0200, www.hollywoodandhighland.com

Le Hollywood & Highland Center, un centre commercial à ciel ouvert de cinq étages, renferme plusieurs boutiques intéressantes, de même que des restaurants et des boîtes de nuit.

Chaussures

Off Broadway [53]
6920 Sunset Blvd., 323-962-0332

Ce grand magasin de chaussures à rabais est installé dans un local de type entrepôt. Il propose des modèles à la mode et de tout genre. Un grand stationnement gratuit rend la séance de magasinage on ne peut plus facile.

Jouets et costumes

Hollywood Toys & Costumes [51]
6600 Hollywood Blvd., 323-464-4444,
www.hollywoodtoysandcostumes.com

Cette boutique dispose d'une immense collection de jouets et de costumes pour adultes et enfants.

Livres et affiches

Larry Edmunds Bookshop [52]
6644 Hollywood Blvd., 323-463-3273,
www.larryedmunds.com

La Larry Edmunds Bookshop a un inventaire de 500 000 photos tirées de films, 6 000 affiches originales de films et 20 000 livres portant sur le cinéma et le théâtre.

Hollywood Book and Poster Co. [50]
6562 Hollywood Blvd., 323-465-8764,
www.hollywoodbookandposter.com

La Hollywood Book and Poster Co. possède une collection similaire à celle de la Larry Edmunds Bookshop, en plus de scénarios de films et d'émissions de télévision.

Musique

Guitar Center [48]
7425 W. Sunset Blvd., 323-874-1060

Le Guitar Center est le haut lieu des guitares électriques et autres instruments de musique purement rock-and-roll. Véritable référence en la matière, il réserve une pièce complète aux guitares vintage, issues de toutes les époques.

Amoeba Music [47]
6400 W. Sunset Blvd., 323-245-6400

Vous pouvez vous procurer des CD ou des vinyles chez Amoeba Music, le plus grand magasin de musique indépendante au monde.

West Hollywood

Mode

The Avenues – Art, Fashion & Design District [56]
délimité par Melrose Ave., North Robertson Blvd., W. Beverly Blvd. et La Cienega Blvd.

Ce secteur de West Hollywood s'est bâti une solide réputation dans le domaine de la mode. Très prisées des stars d'Hollywood, ces artères sont remplies de centaines de boutiques destinées à une clientèle argentée, ainsi qu'à ceux qui ont simplement un penchant pour les vêtements et bijoux dernier cri.

Melrose Place [55]
sur Melrose Ave. entre La Cienega Blvd. et Orlando Ave.

Plus que le nom d'une émission de télévision à succès dans les années 1990, Melrose Place est une jolie petite artère commerciale qui s'étend au nord de Melrose Avenue entre La Cienega Boulevard et Orlando Avenue. Des boutiques de designers y ont pignon sur rue.

Fred Segal [54]
8118 Melrose Ave., 310-451-8080,
www.fredsegal.com

Maison de la mode emblématique de Melrose Avenue à West Hollywood, Fred Segal est l'endroit où les célébrités et les musiciens «bon chic bon genre» aiment se procurer des vêtements et des accessoires tendance.

3 ↘

Westside

À voir, à faire

(voir carte p. 67)

Ce circuit couvre la grande région qui se trouve à l'ouest du centre-ville de Los Angeles, au sud d'Hollywood et à l'est de Santa Monica. Vous y découvrirez d'abord le secteur de Wilshire, qui comprend notamment le Miracle Mile, cette section de Wilshire Boulevard qui regroupe un nombre impressionnant de musées. Vous traverserez ensuite la très chic municipalité de Beverly Hills, le district de Westwood, où se trouve le campus de l'University of California, Los Angeles (UCLA), et le riche secteur résidentiel de Brentwood, où trône le célèbre Getty Center. Finalement, ce circuit vous mènera vers la vibrante ville de Culver City, située au sud de Westwood.

Wilshire ★★

Wilshire Boulevard est à certains égards la plus importante artère de Los Angeles. Il s'étire sur 16 mi (26 km), depuis le centre-ville de L.A. jusqu'à la plage de Santa Monica. Il comprend notamment le secteur connu sous le nom de **Miracle Mile**, qui couvre la portion de Wilshire Boulevard comprise entre La Brea Avenue et Fairfax Avenue. Le Miracle Mile a d'abord eu une vocation commerciale dans les années 1920, époque à laquelle il desservait les secteurs résidentiels à croissance rapide des environs. Nombre de bâtiments de cette période présentent des caractéristiques Art déco d'influence moderniste. Aujourd'hui, il est reconnu pour son **Museum Row**, qui regroupe juste à l'est de Fairfax Avenue quelques-uns des plus importants musées de Los Angeles.

Los Angeles County Museum of Art (LACMA).

Los Angeles County Museum of Art (LACMA) ★ ★ ★ [1]

15$, entrée libre le 2ᵉ mardi de chaque mois; lun-mar et jeu 11h à 17h, ven 11h à 20h, sam-dim 10h à 19h; 5905 Wilshire Blvd., trois rues à l'est de Fairfax Ave., 323-857-6000, www.lacma.org

Le Los Angeles County Museum of Art revêt l'aspect d'un campus universitaire avec ses sept structures et ses immenses espaces verts. Le musée présente plus de 100 000 œuvres datant de l'Antiquité à aujourd'hui, réparties dans 10 pavillons. Il subit depuis 2004 un important projet de transformation comprenant l'ajout de galeries, d'espaces publics, de jardins et d'un édifice consacré à l'art contemporain, le tout sous la direction du célèbre architecte italien Renzo Piano. La première phase a été achevée en février 2008 avec l'ajout, notamment, d'une superbe installation extérieure intitulée *Urban Light* de l'artiste Chris Burden, qui regroupe 202 lampadaires anciens.

Page Museum at the La Brea Tar Pits ★ [2]

11$; tlj 9h30 à 17h; 5801 Wilshire Blvd., angle Curson Ave., quatre rues à l'est de Fairfax Ave., 323-934-7243, www.tarpits.org

Le Page Museum at the La Brea Tar Pits fait découvrir aux visiteurs ce qu'était Los Angeles il y a quelque 40 000 ans. Le musée se trouve à côté d'un petit étang bouillonnant d'une substance apparentée au goudron et connu sous le nom de «La Brea Tar Pits», dans lequel ont sombré une grande variété d'animaux, gros et petits, sur une période de plus de 40 000 ans. Les archéologues s'y affairent depuis 1906 et en ont d'ailleurs à ce jour extrait un véritable trésor d'ossements. Certains de ces vestiges sont ici exposés sous forme de squelettes reconstitués dans un hall d'exposition particulièrement attrayant.

Westside

À voir, à faire ★

Wilshire
1.   DY Los Angeles County Museum of Art (LACMA)
2.   DY Page Museum at the La Brea Tar Pits
3.   DY Petersen Automotive Museum
4.   DY Craft and Folk Art Museum
5.   DY The Grove
6.   DY Farmers Market

Beverly Hills
7.   CY Rodeo Drive
8.   CY Beverly Hills City Hall/Beverly Hills Civic Center
9.   CY Paley Center for Media

10. CX Greyston Mansion and Park
11. CX Beverly Hills Hotel

Westwood
12. BY Westwood Village
13. AY University of California, Los Angeles (UCLA)/Fowler Museum of Cultural History /Franklin D. Murphy Sculpture Garden/ Mildred E. Mathias Botanical Garden/Hammer Museum

Brentwood
14. AX Getty Center

Culver City
15. CZ Museum of Jurassic Technology

Cafés et restos ●

Wilshire
16. EY El Cholo
17. DX Itacho
18. DY Tart
19. DY The Gumbo Pot

Beverly Hills
20. CY Jack 'n Jill's
21. CY Nate 'n Al
22. DY Ortolan
23. CX Polo Lounge
24. CY Tagine
25. CX The Fountain Coffee Room

26. CY Xi'an

West Los Angeles
27. BZ La Serenata de Garibaldi
28. BZ Sawtelle Kitchen

Westwood
29. BY Soleil Westwood

Bel Air
30. BX The Restaurant–Hotel Bel-Air

Culver City
31. CZ Tender Greens

Bars et boîtes de nuit ♪

Wilshire
32. DY El Carmen

Beverly Hills
33. CY Nic's Beverly Hills

Culver City
34. CZ Backstage Bar & Grill
35. DZ Café-Club Fais Do-Do
36. CZ Rush Street

Salles de spectacle ♦

Westwood
37. AY UCLA Live

Lèche-vitrine ■

Wilshire
38. DY Craft and Folk Art Museum
39. DY Farmers Market
40. DY The Grove

Beverly Hills
41. DY Beverly Center
42. CY Beverly Drive
43. CY Rodeo Drive
44. CY The Cheese Store of Beverly Hills
45. CY Wilshire Boulevard

Hébergement ▲

Wilshire
46. DY Cinema Suites
47. DY Farmer's Daughter Hotel
48. DY Park Plaza Lodge Hotel

Beverly Hills
49. CY Beverly Wilshire

50. CX Hotel Beverly Terrace
51. BX The Beverly Hills Hotel and Bungalows

Bel Air
52. BX Hotel Bel-Air

1. Petersen Automotive Museum.

2. Farmers Market.

Petersen Automotive Museum ★★ [3]

10$, stationnement 2$ la demi-heure; mar-dim 10h à 18h; 6060 Wilshire Blvd., angle Fairfax Ave., 323-964-6331, www.petersen.org

Le Petersen Automotive Museum livre un fascinant portrait historique des rapports amoureux qu'entretient Los Angeles avec l'automobile. Ce musée aménagé sur trois étages d'un ancien grand magasin ne se contente pas de présenter une collection d'automobiles de diverses époques, mais propose aussi des maquettes de paysages urbains de Los Angeles correspondant aux époques où ces voitures y ont circulé.

Craft and Folk Art Museum ★★ [4]

7$; mar-ven 11h à 17h, sam-dim 12h à 18h; 5814 Wilshire Blvd., quatre rues à l'est de Fairfax Ave., 323-937-4230, www.cafam.org

Ce musée loge dans une ancienne demeure tout à fait charmante dont l'espace d'exposition est toutefois restreint. Ayant pour objectif de favoriser l'ouverture aux autres cultures, il présente une série d'expositions temporaires sur les arts populaires et l'artisanat d'hier et d'aujourd'hui de différentes parties du monde. Il faut absolument faire un arrêt à la boutique de souvenirs du musée, l'une des plus intéressantes de toute la ville (voir p. 79).

The Grove ★★ [5]

lun-jeu 10h à 21h, ven-sam 10h à 22h, dim 11h à 20h; 189 The Grove Dr., au nord de Wilshire Blvd. et à l'est de l'intersection de Fairfax Ave. et de W. Third St., 888-315-8883, www.thegrovela.com

Un autre attrait de Wilshire Boulevard est le très populaire The Grove, un magnifique et luxueux centre commercial à ciel ouvert avec boutiques, restaurants, salles de cinéma et, surtout, une architecture et un

aménagement mélangeant les styles comme l'Art déco et le georgien qui vous transporteront au centre d'une ville du début du XXe siècle.

Farmers Market ★★ [6]
angle Fairfax Ave. et Third St.

À l'extrémité ouest du centre commercial The Grove se trouve ce marché fermier. Inauguré en 1934 alors que les terres environnantes étaient encore de grands champs déserts, il a longtemps été le cœur battant de ce quartier. Aujourd'hui, les traditions du monde se rejoignent dans ce bazar culinaire, du gumbo de la Louisiane (The Gumbo Pot, voir p. 74), au barbecue coréen (La Korea) en passant par les beignets de Bob (Bob's Doughnuts), qui se vendent par milliers chaque jour. L'atmosphère décontractée et la grande histoire du marché attirent son lot

de célébrités qui mangent incognito en compagnie des passants à la recherche de leur prochain régal.

Beverly Hills ★★

Beverly Hills est une des municipalités les plus riches au monde. En son cœur se trouve une zone commerciale ultrachic connue sous le nom de **Golden Triangle** et délimitée par Wilshire Boulevard, Santa Monica Boulevard et Crescent Drive. Au centre du Golden Triangle se trouve **Rodeo Drive ★** [7] (voir p. 80), l'une des rues commerciales les plus exclusives de la planète.

Beverly Hills City Hall ★ [8]
Rexford Dr., angle Santa Monica Blvd.

Au sommet du Golden Triangle se dresse le Beverly Hills City Hall, l'hôtel de ville construit en 1932 selon le style Renaissance espagnole et

Westside

pourvu d'une haute tour de même que d'un dôme doré. Il fait partie du **Beverly Hills Civic Center ★**, qui englobe divers autres édifices publics pour la plupart construits ou agrandis dans les années 1980, le tout autour d'une place ovale pour le moins attrayante.

Paley Center for Media [9]

don suggéré 10$; mer-dim 12h à 17h; 465 N. Beverly Dr., angle Little Santa Monica Blvd., 310-786-1000, www.paleycenter.org

Le Paley Center for Media n'est pas tant un musée qu'une succession de salles de visionnement privées où les visiteurs ont accès à une collection phénoménale d'archives et peuvent regarder et écouter l'un ou l'autre des moments télévisuels et radiophoniques de leur choix.

Greystone Mansion and Park [10]

entrée libre; tlj 10h à 17h; 905 Loma Vista Dr., 310-550-4796, www.greystonemansion.org

Le Greystone Mansion and Park se présente comme un manoir de 55 pièces construit en 1928 au coût de 3 millions de dollars, ce qui en faisait la résidence la plus chère de la Californie à l'époque. Le manoir repose sur un terrain de 7 ha superbement aménagé. On peut accéder gratuitement au parc et aux abords du manoir. On ne peut entrer dans le manoir, mais il est facile d'y jeter un coup d'œil par les fenêtres.

Beverly Hills Hotel [11]

9641 Sunset Blvd.; voir p. 144

Le Beverly Hills Hotel, surnommé *The Pink Palace* («le palais rose»), a ouvert ses portes en 1912 et est rapidement devenu l'un des hôtels les plus célèbres au monde. Situé au pied des collines sur le très panoramique Sunset Boulevard, l'endroit est très paisible et on ne peut plus luxueux.

Westwood ★

Le district de Westwood se trouve à l'ouest de Beverly Hills. Son secteur commercial, connu sous le nom de **Westwood Village** [12], s'étend au nord de l'intersection de Wilshire Boulevard et de Westwood Boulevard et renferme des cinémas historiques datant des années 1930, des restaurants et des commerces variés.

1. Beverly Hills Hotel.
2. Le campus de l'University of California, Los Angeles (UCLA).

University of California, Los Angeles (UCLA) ★ [13]

Le nord de Westwood est occupé par le vaste campus de l'University of California, Los Angeles, qu'on désigne partout sous le sigle UCLA. Le campus réunit plus de 160 bâtiments sur une propriété paysagée de 170 ha délimitée au nord par Sunset Boulevard. L'emplacement de chaque structure est clairement indiqué sur de grands plans disposés aux entrées du campus. Créée en 1919, l'université accueille près de 40 000 étudiants et est l'une des plus importantes au monde dans le domaine de la recherche scientifique.

Parmi les attraits que vous y trouverez, notons le **Fowler Museum of Cultural History** ★ (*entrée libre; mer-dim 12h à 17h, jeu jusqu'à 20h; 310-825-4361, www.fowler.ucla. edu*), qui présente des expositions temporaires d'œuvres d'art tant modernes qu'anciennes provenant d'un peu partout dans le monde; le **Franklin D. Murphy Sculpture Garden** ★, qui comporte plus de 50 sculptures, y compris des œuvres de Gaston Lachaise et de Rodin; et le **Mildred E. Mathias Botanical Garden** (*entrée libre; lun-ven 8h à 17h, jusqu'à 16h en hiver, sam-dim 8h à 16h; 310-825-1260, www. botgard.ucla.edu*), un agréable jardin botanique situé dans le secteur sud-est du campus.

L'attraction principale de l'université demeure toutefois le **Hammer Museum** ★★ (*10$; mar-ven 11h à 19h, jusqu'à 20h en été, sam-dim 11h à 17h; 10899 Wilshire Blvd., angle Westwood Blvd., 310-443-7000, www.hammer.ucla.edu*), situé

Westside

Getty Center.

à quelques rues au sud du campus même. Il renferme notamment des tableaux de maîtres impression-nistes et postimpressionnistes tels que Monet, Van Gogh et Rembrandt, ainsi qu'une collection d'œuvres contemporaines (photos, peintures, etc.) datant des années 1960 à aujourd'hui.

Bel Air et Brentwood ★★

Bel Air et Brentwood, deux districts situés entre Westwood à l'est et Santa Monica à l'ouest, sont parmi les quartiers les plus sélects de Los Angeles. Ils sont séparés par la route 405, Bel Air se trouvant à l'est et Brentwood à l'ouest, et leur prin-cipale artère est Sunset Boulevard.

Il n'y a aucun trottoir le long des rues du quartier résidentiel de Bel Air afin de décourager les passants, et les résidences multifamiliales sont interdites. Une balade en voiture ici s'avère toutefois intéressante (voir l'encadré p. 150). À peine moins chic, Brentwood compte un attrait culturel digne de mention, l'un des plus importants de toute la Califor-nie : le Getty Center.

Getty Center ★★★ [14]

entrée libre, stationnement 15$; mar-jeu 10h à 17h30, jusqu'à 21h en été, ven-sam 10h à 21h, dim 10h à 17h30 ; 1200 Getty Center Dr., 310-440-7300, www.getty.edu

Le Getty Center est l'une des ins-titutions muséales les plus somp-tueuses et les plus richement pour-vues jamais construites. Ses ins-tallations d'un milliard de dollars, conçues par l'architecte Richard Meier, ont été inaugurées en grande pompe en 1997 après 14 ans d'ef-forts ininterrompus. Quant à sa col-lection, elle est à n'en point douter

impressionnante, quoique la plupart des visiteurs soient d'abord et avant tout frappés par la splendeur du site même, qui prend des allures de forteresse perchée au sommet d'une colline.

Le musée se compose de cinq pavillons de deux étages disposés autour d'une cour ouverte ponctuée d'arbres, de fontaines et de bassins miroitants. Quatre d'entre eux sont consacrés à des périodes spécifiques, tandis que le cinquième accueille les expositions temporaires.

Culver City ★★

Culver City, située juste au sud de Century City, est une ville autonome complètement encerclée par la ville de Los Angeles. Autrefois un important centre de production cinématographique (*Citizen Kane*, *The Wizard of Oz* et *Gone with the Wind* y furent tournés), Culver City fut délaissée par les studios et connut un déclin économique au cours des années 1960 et 1970. Un important virage s'est effectué à compter de la fin des années 1990, et les autorités locales ont réussi à revitaliser le centre-ville, qui est devenu l'un des secteurs les plus vivants du comté de Los Angeles avec ses galeries d'art et ses restaurants animés. Le principal attrait touristique de Culver City demeure la visite des **Sony Pictures Studios** (voir l'encadré p. 119), mais la ville attire également les amateurs d'art avec son **Culver City Art District ★★** (www.ccgalleryguide.com), qui réunit une trentaine de galeries le long de Washington Boulevard et de La Cienega Boulevard.

Museum of Jurassic Technology ★★ [15]

don suggéré 5$; jeu 14h à 20h, ven-dim 12h à 18h; 9341 Venice Blvd., 310-836-6131, www.mjt.org

Le Museum of Jurassic Technology est probablement le musée le plus original de Los Angeles. À mi-chemin entre le musée d'histoire naturelle et le cabinet de curiosités, il consacre notamment des expositions à la fourmi puante du Cameroun et à Napoléon, en plus de présenter une collection de sculptures micro-miniatures, dont celle du pape Jean-Paul II faite d'un cheveu unique et insérée dans le trou d'une aiguille à coudre. Bref, un petit musée déroutant et amusant.

Cafés et restos

(voir carte p. 67)

Wilshire

The Gumbo Pot $ [19]
Farmers Market, 6333 W. Third St., près de Fairfax Ave., 323-933-0358, www.thegumbopotla.com

Comme le laisse entendre son nom, le nourrissant gombo de poulet, de saucisse et de crevettes est la grande spécialité de ce comptoir d'alimentation du Farmers Market, à laquelle s'ajoutent d'autres mets louisianais, des sandwichs, de la salade de patates douces et des beignets.

El Cholo $-$$ [16]
1121 S. Western Ave., près d'Olympic Blvd., 323-734-2773, www.elcholo.com

Ouvert depuis 1923, cet établissement s'impose comme un des plus anciens restaurants mexicains en dehors du Mexique. Son menu est varié et authentique, si ce n'est que les assaisonnements sont plus doux, au goût des Nord-Américains.

Tart $-$$ [18]
115 S. Fairfax Ave, 323-937-3930, www.tartrestaurant.com

Tout comme le **Farmer's Daughter Hotel** (p. 143) auquel il est rattaché, le restaurant Tart s'affiche comme un établissement typique du sud des États-Unis. Le menu permet de choisir vos «protéines» (poulet frit, steak, pain de viande) et quelques plats d'accompagnement dans la grande tradition du *comfort food* américain, comme les pommes de terre pilées et le *mac'n cheese*. Grande terrasse.

Itacho $$-$$$ [17]
7311 Beverly Blvd., quatre rues à l'ouest de La Brea Ave. 323-938-9009, www.itachorestaurant.com

Comme dans plusieurs restaurants japonais, les montants investis dans la décoration de l'Itacho sont limités, mais le client en profite grâce à son menu à prix raisonnable. Le menu est assez varié, allant des mets japonais mijotés traditionnels aux sushis. Les portions étant petites, on suggère de commander plusieurs plats et de les partager entre convives.

Beverly Hills

Jack 'n Jill's $-$$ [20]
342 N. Beverly Dr., 310-247-4500, www.eatatjacknjills.com

Ce sympathique bistro est une bonne adresse pour un repas à prix

The Fountain Coffee Room.

abordable en plein cœur de Beverly Hills, surtout à l'heure du midi. Son menu varié offre notamment de bonnes crêpes.

Nate 'n Al $-$$ [21]
414 N. Beverly Dr., 310-274-0101, www.natenal.com

Depuis 1945, ce *delicatessen* sert de la charcuterie et une panoplie de plats à une clientèle fidèle dans une ambiance de bonne humeur. Au petit déjeuner, les gens d'affaires côtoient les acteurs dans des conversations animées qui mèneront peut-être au prochain grand succès hollywoodien.

The Fountain Coffee Room $-$$ [25]
Beverly Hills Hotel, 9641 Sunset Blvd., 310-276-2251, www.beverlyhillshotel.com

Situé au sous-sol du très chic **Beverly Hills Hotel** (voir p. 70),

ce minuscule comptoir alimentaire établi en 1949 conserve son charme d'époque avec ses quelques hauts tabourets à dossier en fer forgé blanc installés autour d'un comptoir ondulé en inox. Le menu affiche une cuisine américaine d'antan : des *pancakes* (crêpes) au babeurre et des plats d'œufs style *fifties*.

Xi'an $-$$ [26]
362 N. Canon Dr., 310-275-3345, www.xian90210.com

Ce restaurant tout simple, situé à proximité de Rodeo Drive, offre une cuisine chinoise classique, saine et sans glutamate monosodique (GMS). Excellent rapport qualité/prix.

Tagine $$$ [24]
132 S. Robertson Blvd., 310-360-7535, www.taginebeverlyhills.com

Dans ce restaurant de fine cuisine marocaine, vous pourrez déguster des plats de poulet, d'agneau, de bœuf, de crevettes et de poisson apprêtés par le chef-propriétaire originaire du nord du Maroc.

🍽 Ortolan $$$$ [22]
8338 W. Third St., 323-653-3300, www.ortolanrestaurant.com

Symbole du gourmet en France, l'ortolan a donné son nom à ce restaurant qui satisfait lui aussi les appétits raffinés de la clientèle locale. Le menu est de taille, avec ses plats de langoustines et d'agneau notamment. Les desserts ne sont pas en reste : le gâteau au chocolat et à la praline est renversant.

Polo Lounge $$$$ [23]
Beverly Hills Hotel, 9641 Sunset Blvd., 310-276-2251, www.beverlyhillshotel.com

Le Polo Lounge est le restaurant légendaire du non moins mythique **Beverly Hills Hotel** (voir p. 70). Le riche décor de sa salle à manger et de sa terrasse est d'une beauté distinguée. Son menu, composé avec soin, propose de délicieux plats. Le petit déjeuner et le brunch du dimanche sont particulièrement recommandés. Veston requis.

West Los Angeles

Sawtelle Kitchen $-$$ [28]
2024 Sawtelle Blvd., à l'ouest de la route 405 entre Santa Monica Blvd. et Olympic Blvd., 310-473-2222, www.sawtellekitchen.com

À la Sawtelle Kitchen, on propose une cuisine californienne apprêtée avec une touche japonaise. Le résultat est tout à fait original et délicieux. L'en-

droit est également populaire pour ses généreuses portions, sa jolie terrasse et pour le vin que vous pouvez apporter et que l'on vous servira sans frais supplémentaires.

🍽 La Serenata de Garibaldi $$-$$$ [27]
10924 W. Pico Blvd., 310-441-9667, www.laserenataonline.com

Ce restaurant de fruits de mer mexicain des plus intéressants a de quoi surprendre avec ses plats aussi bien modernes que traditionnels. Retenons le vivaneau entier et d'autres poissons et fruits de mer frais, grillés et servis tels quels ou nappés de sauces toutes simples.

Westwood

Soleil Westwood $$-$$$ [29]
1386 Westwood Blvd., 310-441-5384, www.soleilwestwood.com

Ce restaurant tenu par un Québécois propose une variété de mets français, entre autres le canard à l'orange, les côtelettes d'agneau et le bœuf bourguignon, en plus d'un grand choix de pâtes. La poutine a d'ailleurs récemment été mise au menu, un événement qui a défrayé la manchette locale.

Bel Air

🍽 The Restaurant– Hotel Bel-Air $$$$ [30]
Hotel Bel-Air, 701 Stone Canyon Rd., 310-472-1211, www.hotelbelair.com

La perfection... Au restaurant de l'**Hotel Bel-Air** (voir p. 144),

The Restaurant–Hotel Bel-Air.

membre de la prestigieuse association Relais & Châteaux, vous avez le choix de prendre place dans la somptueuse salle à manger ou sur la romantique terrasse couverte et chauffée avec vue sur l'étang et ses cygnes, et probablement sur quelques célébrités aux tables avoisinantes. La préparation des plats, comme le service, est on ne peut plus minutieux.

Culver City

Tender Greens $-$$ [31]
9523 Culver Blvd., angle Washington Blvd., 310-842-8300, www.tendergreensfood.com

Ce restaurant décontracté doté d'une grande terrasse sert des plats dont la plupart des ingrédients sont frais du jour et proviennent des fermes de la région. Les *Angelenos* qui se soucient de leur santé en ont fait un rendez-vous populaire.

Bars et boîtes de nuit

(voir carte p. 67)

Wilshire

El Carmen [32]
8138 W. Third St., quelques rues à l'ouest de Fairfax Ave., 323-852-1552

Paradis des amateurs de tequila, El Carmen propose plusieurs centaines de variétés de cette boisson. Les margaritas sont parfaitement réussies, tout comme les plats d'accompagnement, en particulier les tacos.

Beverly Hills

Nic's Beverly Hills [33]
453 N. Canon Dr., 310-550-5707, www.nicsbeverlyhills.com

Une adresse à retenir à l'heure de l'apéro, Nic's se démarque par sa

VODBOX, un concept de dégustation de vodkas en chambre froide maintenue à −2°. On vous prêtera alors manteau et chapeau en fausse fourrure pour une expérience des plus agréables, voire inusitée dans la ville aux mille et un palmiers.

Culver City

Backstage Bar & Grill [34]
10400 Culver Blvd., 310-839-3892,
www.backstageculvercity.com
Le Backstage est reconnu depuis longtemps pour ses cinq à sept, ses soirées karaoké, ses bières à bon prix qui coulent à flots et son ambiance de fête «après-ski» (tout de bois, l'intérieur ressemble à un chalet de ski).

Café-Club Fais Do-Do [35]
5257 W. Adams Blvd., 323-931-4636,
www.faisdodo.com
Brillamment aménagé dans ce qui était autrefois une banque de grand style, le Café-Club Fais Do-Do retient surtout l'attention pour son atmosphère chaude qui n'est pas sans rappeler les nuits de La Nouvelle-Orléans.

Rush Street [36]
9547 Washington Blvd., 310-837-9546,
www.rushstreetculvercity.com
Situé en plein cœur du dynamique centre-ville de Culver City, Rush Street s'anime tous les soirs. Sa grande salle principale est un bon endroit pour passer la soirée en compagnie des gens du quartier. Pour ceux qui souhaitent un peu plus de tranquillité, la mezzanine est tout indiquée.

Salles de spectacle
(voir carte p. 67)

Westwood

UCLA Live [37]
University of California, Los Angeles,
310-825-2101, www.uclalive.org
En quelque sorte l'équivalent californien du Lincoln Center de New York, **UCLA Live** *(310-825-2101, www.uclalive.org)*, situé au cœur du campus de l'**University of California, Los Angeles** (voir p. 71), est l'un des complexes culturels les plus réputés aux États-Unis. Ses cinq salles présentent une cinquantaine de productions importantes dans divers domaines chaque année: danse, musique, théâtre expérimental, etc.

Lèche-vitrine
(voir carte p. 67)

Wilshire

Centre commercial

The Grove [40]
189 The Grove Dr., au nord de Wilshire Blvd.,
323-900-8080, www.thegrovela.com
Dans le secteur de Wilshire, le très populaire centre commercial **The Grove** (voir p. 68) compte une cinquantaine de boutiques, en plus des restaurants et d'un cinéma.

The Grove.

Marché public

Farmers Market [39]
angle Fairfax Ave. et Third St.

À l'extrémité ouest du centre commercial The Grove (voir plus haut) se trouve l'historique **Farmers Market** (voir p. 69), qui dessert le voisinage depuis 1934 et abrite toujours de nombreux comptoirs alimentaires, plusieurs d'entre eux étant des commerces familiaux qui existent depuis les années 1930.

Souvenirs

Craft and Folk Art Museum [38]
5814 Wilshire Blvd., 323-937-4230, www.cafam.org

Si vous visitez le **Craft and Folk Art Museum** (voir p. 68), ne manquez pas de faire un arrêt à sa boutique de souvenirs. Elle vend de magnifiques pièces, notamment des bijoux, des objets décoratifs et des jouets pour enfants.

Beverly Hills

Alimentation

The Cheese Store of Beverly Hills [44]
419 N. Beverly Dr., 310-278-2855

Voilà l'une des boutiques les plus raffinées de Beverly Hills. Vous y trouverez un très grand choix de fromages et de vins, en plus de 25 variétés d'huiles d'olive, une belle sélection de vinaigres balsamiques, dont certains âgés de 100 ans, du caviar et des truffes. Bref, tout ce qu'il vous faut pour concocter un pique-nique de star!

Westside

Rodeo Drive.

Westside

Artères commerciales

Rodeo Drive [43]

Rodeo Drive à Beverly Hills est l'une des plus célèbres et élégantes artères commerciales des États-Unis. Plusieurs des grands noms du monde de la mode, comme Tiffany, Louis Vuitton, Giorgio, Hermès, Gucci et Ralph Lauren, ainsi que d'autres qui sont moins connus mais tout aussi huppés, s'y retrouvent sur trois quadrilatères entre Wilshire Boulevard et Santa Monica Boulevard.

Wilshire Boulevard [45]

De grands magasins classiques américains sont également installés sur Wilshire Boulevard près de Rodeo Drive, notamment Neiman Marcus et le très branché Barneys New York. À visiter ne serait-ce que pour faire du lèche-vitrine ou prendre un café dans leurs chics bistros.

Beverly Drive [42]

Artère parallèle à Rodeo Drive, qui est située directement à l'ouest, Beverly Drive compte un grand nombre de boutiques de mode à prix abordables. On y trouve aussi de sympathiques magasins de parfums, d'accessoires de cuisine et quelques restaurants dont le fameux **Nate 'n Al** (voir p. 75).

Centre commercial

Beverly Center [41]

8500 Beverly Blvd., angle La Cienega Blvd., 310-854-0071

À l'est de Beverly Hills, vous trouverez ce centre commercial huppé à l'architecture distinctive qui comprend deux magasins à grande surface et environ 160 boutiques.

4 ↘

Santa Monica

À voir, à faire

(voir carte p. 83)

Santa Monica ★★★ se trouve à 13 mi (21 km) du centre-ville de L.A. et correspond bien à l'idée que se font certaines personnes de la Californie. Municipalité indépendante dotée d'un sens communautaire peu commun, Santa Monica est surtout connue du monde extérieur pour sa large plage sablonneuse, la **Santa Monica State Beach** ★★, flanquée d'un parc linéaire planté de palmiers, et pour sa longue jetée trépidante d'activités, le Santa Monica Pier. À quelques rues seulement de la plage se trouvent des librairies et d'autres signes manifestes d'activités cérébrales. Peu d'autres lieux réalisent aussi bien le mariage de la plage et de la vie urbaine.

Santa Monica Pier ★★ [1]
Le Santa Monica Pier, une jetée située à l'angle d'Ocean Avenue et de Colorado Avenue et construite en 1909, est facilement repérable grâce à la grande roue qui y monte la garde et qui permet d'admirer du haut des airs aussi bien Santa Monica que la côte du Pacifique. Elle fait partie d'un petit parc d'attractions du nom de **Pacific Park** *(accès au parc gratuit, manèges 3-5 ou 22$ accès illimité; les heures d'ouverture varient au gré des saisons, à partir de 11h en été; 310-260-8744, www.pacpark.com)*, qui comprend une vingtaine de manèges, un minigolf et des jeux d'adresse. Quant à la jetée, elle est passablement énorme et accueille de nombreux établissements commerciaux, y compris des kiosques de souvenirs, des salles de jeux électroniques ainsi qu'une variété de casse-croûte et de restaurants offrant un peu de tout, notamment des fruits de mer.

Santa Monica

Santa Monica

Santa Monica

Santa Monica Pier.

À voir, à faire ★

1.	AX	Santa Monica Pier
2.	AX	Third Street Promenade

3.	BX	Santa Monica Place
4.	CX	Bergamot Station

Cafés et restos ●

5.	BX	Bay Cities Italian Deli & Bakery
6.	BW	Caffe Luxxe
7.	BY	Catch
8.	CV	Frida Tacos
9.	BX	Fritto Misto
10.	BX	JiRaffe
11.	BY	Library Alehouse

12.	BX	Locanda Del Lago
13.	BX	Mélisse
14.	AW	Patrick's Roadhouse
15.	BX	Real Food Daily
16.	BX	Sonoma Wine Garden
17.	CV	Tavern
18.	BX	The Lobster

Bars et boîtes de nuit ☽

19.	BX	Harvelle's
20.	BX	Ma'kai

21.	AX	Rooftop Lounge at Shangri-La Hotel
22.	AX	The Penthouse

Lèche-vitrine ■

23.	BY	Accents Jewelry
24.	CX	Bergamot Station
25.	BY	Main Street
26.	BW	Montana Avenue

27.	BX	Santa Monica Place
28.	AX	Third Street Promenade
29.	BY	ZJ Boarding House

Hébergement ▲

30.	AX	Fairmont Miramar Hotel & Bungalows

31.	BY	Sea Shore Motel

Santa Monica

Third Street Promenade.

Third Street Promenade ★ ★ [2]

La Third Street Promenade du centre-ville de Santa Monica est l'une des rues piétonnières les plus bourdonnantes d'Amérique du Nord. Cette promenade s'étire sur trois longs quadrilatères entre Broadway Boulevard et Wilshire Boulevard et connaît un franc succès pour diverses raisons, notamment la variété des commerces qu'on y retrouve, qu'il s'agisse de restaurants avec terrasse, de cafés, de cinémas, de librairies ou d'autres établissements à même d'attirer des foules nombreuses jusqu'à une heure avancée de la soirée.

Santa Monica Place ★ ★ [3]
395 Santa Monica Place, 310-260-8333, www.santamonicaplace.com

Après une décennie de négociations et de travaux, la Promenade trouve depuis 2010 un point culminant fort réussi dans le nouveau Santa Monica Place. Ce qui était jadis un centre commercial démodé et lugubre des années 1980 a été transformé en une galerie marchande luxueuse en plein air. Sur trois étages, il abrite des boutiques de luxe et des restaurants, mais prolonge également le tissu urbain avec sa piazza ensoleillée accessible en tout temps.

Bergamot Station ★ [4]
entrée libre; mar-ven 10h à 18h, sam 11h à 17h30; 2525 Michigan Ave., près de l'intersection d'Olympic Blvd. et de 26th St.

La Bergamot Station est une ancienne gare de transport en commun datant de 1875, époque où L.A. était desservie par un vaste réseau de tramways. Elle a par la suite été agrandie à des fins industrielles, puis abandonnée; elle a toutefois rouvert

déguster avec un macaron ou un *alfajor*, un biscuit salé au *dulce de leche* de tradition espagnole.

Frida Tacos $ [8]
225 26th St., 310-395-9666,
www.fridatacos.com

Confortablement installé dans le charmant Brentwood Country Mart datant de 1948, Frida Tacos est un comptoir de restauration rapide servant des mets mexicains. Les burritos sont fort appréciés de la clientèle locale et sont dégustés sur place, dans l'aire centrale parsemée de tables de pique-nique, autour d'un grand foyer. Bon rapport qualité/prix.

Patrick's Roadhouse $ [14]
106 Entrada Dr., face à la Pacific Coast Hwy.,
310-459-4544, www.patricksroadhouse.info

Patrick est d'origine irlandaise, et vous allez vous en rendre compte dès que vous verrez son établissement aux couleurs du pays. Le menu est américain, mais l'ambiance est très *Irish*, et les lieux sont généralement bondés la fin de semaine, surtout pendant le brunch du dimanche, qu'on savoure en admirant l'océan de l'autre côté de la Pacific Coast Highway.

Bay Cities Italian Deli & Bakery $-$$ [5]
1517 Lincoln Blvd., 310-395-8279,
www.baycitiesitaliandeli.com

Le Bay Cities est une institution à Santa Monica depuis 1925. Son menu assez simple offre un choix de sous-marins et de sandwichs, ainsi que deux plats chauds du jour.

ses portes en 1994, après que ses bâtiments eurent été revitalisés et réaménagés pour accueillir de nombreuses galeries d'art ainsi que des bureaux d'architectes et des ateliers de designers. Aussi est-elle devenue une plaque tournante du monde des arts de L.A., avec de nombreuses galeries de premier plan.

Cafés et restos

Caffe Luxxe $ [6]
925 Montana Ave., 310-394-2222,
www.caffeluxxe.com

Concoctant très certainement le meilleur café à Los Angeles, Luxxe le sert à la manière du nord de l'Italie. Préparés avec soin par des *baristi* forts d'une longue formation, les cafés sont d'un goût riche et d'une magnifique onctuosité. À

Santa Monica

Cet établissement est très populaire : on doit souvent faire la queue avant de pouvoir y entrer.

Library Alehouse $-$$ [11]
2911 Main St., 310-314-4855,
www.libraryalehouse.com

Ce sympathique bistro installé dans Main Street, à quelques pas des plages de Santa Monica et de Venice Beach, offre une grande sélection de bières, mais aussi de très bons vins au verre. Toujours bondé, l'endroit présente un menu varié, avec entre autres des salades et des hamburgers gourmets.

Real Food Daily $-$$ [15]
514 Santa Monica Blvd., près de Fifth St.,
310-451-7544, www.realfood.com

Situé en retrait de la Third Street Promenade, Real Food Daily est l'un des bons restaurants végétariens de la Californie. Son menu est strictement végétalien, sans produits laitiers ni œufs, et l'on met tout en œuvre pour en assurer l'équilibre alimentaire. Les principaux plats se composent de légumineuses, de céréales et de légumes.

⊛ **Tavern $-$$$$** [17]
11648 San Vicente Blvd., 310-806-6464,
www.tavernla.com

Unique en son genre, la splendide salle à manger du restaurant Tavern fait changement du typique *California casual*. Un court menu de mets classiques cuisinés à partir de produits locaux de qualité, tel l'osso buco d'agneau, ajoute au charme de l'établissement. Tavern

propose également un grand bar et un comptoir de plats à emporter *($-$$)*, ainsi qu'un excellent brunch du dimanche *($$)*.

Fritto Misto $$ [9]
601 Colorado Ave., angle Sixth St., 310-458-2829

Ce restaurant italien sans façon offre une atmosphère chaleureuse et un menu de pâtes variées que complètent des plats plus intéressants de viande ou de fruits de mer, y compris le *fritto misto*, qui a donné son nom à l'établissement et qu'on prépare ici avec des crevettes, des calmars et des légumes. Vous pouvez apporter votre vin moyennant un droit de bouchon (*corkage fee*) de 4$.

Locanda Del Lago $$-$$$ [12]
231 Arizona Ave., 310-451-3525,
www.lagosantamonica.com

Si la très animée Third Street Promenade offre un vaste choix de restaurants, plusieurs se spécialisent dans la restauration rapide. Pour profiter de l'ambiance de la rue piétonnière et s'offrir un bon repas sans avoir peur de se tromper, on opte pour Locanda Del Lago, qui propose un menu inspiré du nord de l'Italie.

Sonoma Wine Garden $$-$$$ [16]
395 Santa Monica Place, 424-214-4560,
www.sonomawinegardensantamonica.com

Situé à l'étage supérieur du **Santa Monica Place** (voir p. 84), ce restaurant tout en terrasse s'articule autour d'un grand bar intérieur. Le menu est composé de fromages et de charcuteries, mais aussi

Santa Monica

JiRaffe.

Santa Monica

de pizzas et de pâtes. Sa liste de vins, en grande partie californiens, enchante, tout comme son brunch du dimanche.

JiRaffe $$$-$$$$ [10]
502 Santa Monica Blvd., angle Fifth St., 310-917-6671, www.jirafferestaurant.com

Décoré à la façon d'un bistro français, cet établissement mariant les cuisines française traditionnelle et américaine a conquis une vaste et fidèle clientèle, et les critiques culinaires de la région lui accordent les notes les plus élevées. Le menu change fréquemment, au gré des saisons et selon les arrivages.

Catch $$$$ [7]
Casa Del Mar, 1910 Ocean Way (à l'extrémité de Pico Blvd.), 310-581-5533, www.catchsantamonica.com

Située dans le luxueux hôtel Casa Del Mar, au bord de la plage de Santa Monica, la salle à manger du restaurant Catch est assurément l'une des plus belles de tout Los Angeles. Le décor tout comme la vue sur la mer sont spectaculaires. La nourriture (sushis et fruits de mer) est digne de l'environnement, mais l'addition demeure toutefois plutôt salée.

Mélisse $$$$ [13]
1104 Wilshire Blvd., 310-395-0881, www.melisse.com

Dans ce restaurant de cuisine française imaginative aux influences internationales, le menu varie au gré des meilleurs produits disponibles. Un des restaurants les plus appréciés à Los Angeles, tant par les critiques que par les gastronomes avertis, il abrite une splendide et romantique salle à manger.

Santa Monica

The Lobster $$$$ [18]
1602 Ocean Ave., 310-458-9294,
www.thelobster.com

Ce restaurant où le homard est maître est situé à côté de l'entrée du Santa Monica Pier. La salle à manger entièrement vitrée et la petite terrasse offrent une vue imprenable sur l'océan Pacifique. Outre le homard, le menu propose du crabe, une bonne variété de plats de poisson et un choix de quelques plats de viande toujours bien apprêtés.

Bars et boîtes de nuit

(voir carte p. 83)

Harvelle's [19]
1432 Fourth St., entre Broadway et Santa Monica Blvd., 310-395-1676,
www.harvelles.com

Fondée en 1931, Harvelle's est la plus ancienne boîte de nuit dédiée au blues, au soul, au jazz et au R&B de la région. Des groupes s'y produisent en spectacle tous les soirs à compter de 21h ou 21h30.

Ma'kai [20]
101 Broadway, angle Ocean St., 310-434-1511,
www.makailounge.com

Ce restaurant-*lounge* est un bon endroit pour prendre un verre en début ou en fin de soirée. Sa terrasse qui donne sur Ocean Street, face à la mer et au Santa Monica Pier, est joliment aménagée et ponctuée de petits foyers pour les soirées plus fraîches.

Rooftop Lounge at
Shangri-La Hotel.

Rooftop Lounge at Shangri-La Hotel [31]
Shangri-La Hotel, 1301 Ocean Ave.,
310-394-2791, www.shangrila-hotel.com

Installé sur le toit du Shangri-La Hotel, ce *lounge* offre à la fois une terrasse en plein air et un bar fermé où il fait bon prendre un verre au coucher du soleil. L'intérieur du petit bar s'avère douillet par les journées de mauvais temps.

The Penthouse [22]
The Huntley Hotel, 1111 Second St.,
près de Wilshire Blvd., 310-393-8080,
www.thehuntleyhotel.com

Situé au dernier étage du luxueux Huntley Hotel, le *lounge* The Penthouse offre une magnifique vue sur Santa Monica dans un décor très soigné. Une clientèle élégante s'y rend pour dîner ou tout simplement pour prendre un verre.

Lèche-vitrine

(voir carte p. 83)

Artères commerciales

Third Street Promenade [28]
S'étendant entre Broadway et Wilshire Boulevard, la **Third Street Promenade** (voir p. 84) est parsemée de petits kiosques, de bancs et d'autres installations qui permettent aux piétons de circuler aisément. De grands panneaux plantés à chaque intersection aident les consommateurs à trouver leur chemin, et des musiciens et autres amuseurs de rue contribuent à son atmosphère enjouée.

Main Street [25]
Un long tronçon de Main Street, entre Pacific Street à Santa Monica et Rose Avenue à Venice, est émaillé de galeries d'art, de boutiques branchées, de petits cafés, de restaurants, de marchands d'antiquités et de boutiques remplies d'accessoires de plage tels que planches de surf et maillots de bain.

Montana Avenue [26]
Une autre artère commerciale prisée à Santa Monica est Montana Avenue, qui s'étire sur 10 rues entre Seventh Street et 17th Street. Ici vous trouverez plusieurs boutiques uniques et originales qui offrent notamment une jolie gamme d'objets décoratifs, de vêtements et de bijoux.

Bijoux

Accents Jewelry [23]
2900 Main St., 310-396-2284
Parmi les nombreuses boutiques de Main Street, **Accents Jewelry**

Santa Monica

Santa Monica

Santa Monica Place.

est un secret assez bien gardé. On y trouve de superbes bijoux d'artisans à prix raisonnable.

Centre commercial

Santa Monica Place [27]
395 Santa Monica Place, 310-260-8333, www.santamonicaplace.com

Ouvert en grande pompe en 2010 après des investissements de plus de 250 millions de dollars, le **Santa Monica Place** (voir p. 84) se présente comme un ultra-luxueux centre commercial en plein air. Les grands magasins américains les plus intéressants en ce qui a trait à la mode y sont installés, notamment Bloomingdale's et Barneys CO-OP.

Galeries d'art

Bergamot Station [24]
2525 Michigan Ave., 310-453-7535

La **Bergamot Station** (voir p. 84) regroupe sous un même toit une vingtaine de galeries d'art contemporain. Il est tout indiqué pour qui aime fureter, des heures durant, parmi une quantité inimaginable d'œuvres d'art.

Plein air

ZJ Boarding House [29]
2619 Main St., 310-392-5646

Les amateurs de plage et de plein air peuvent se rendre à la ZJ Boarding House pour se procurer des vêtements et accessoires, ainsi que tout l'équipement nécessaire pour la pratique du surf et de la planche à roulettes.

5 ↘

Venice

À voir, à faire

(voir carte p. 93)

Vous entrez dans un autre monde dès que vous passez de la ville de Santa Monica à **Venice ★★**. Vous quitterez une plage calme avec très peu d'animation (outre le Santa Monica Pier) et pénétrerez dans un lieu où des individus de toutes sortes viennent voir des gens quelque peu étranges – ou deviennent eux-mêmes légèrement étranges. Depuis des décennies, il s'agit du berceau de la contre-culture de L.A.: les icônes de la *Beat Generation* des années 1950 se sentaient tout aussi à l'aise sur son littoral coloré que les hippies des années 1960, les nouvel-âgistes et les représentants de divers cultes après eux. Et la tendance se maintient.

Ocean Front Walk ★★★ [1]

L'Ocean Front Walk, aussi connue sous le nom de Boardwalk (bien qu'il ne s'agisse nullement d'une promenade en planches), s'impose comme un des endroits les plus fous, les plus effervescents, les plus kaléidoscopiques et les plus carnavalesques de toute l'Amérique du Nord. Aménagée en bordure de Venice Beach (voir plus loin), cette allée piétonnière constitue un spectacle en soi. Outre les nombreux amuseurs publics qui s'y donnent en spectacle, c'est d'abord et avant tout le défilé incessant des passants qui s'affichent pompeusement dans des tenues extravagantes qui fait le charme irrésistible de cette promenade.

Venice

Venice

Venice Beach.

À voir, à faire ★

1.	BX	Ocean Front Walk
2.	BW	Venice Beach

Cafés et restos ●

3.	CW	Gjelina
4.	CW	Hama Sushi
5.	CW	Intelligentsia Coffee
6.	BX	Jody Maroni's Sausage Kingdom
7.	BZ	Mercede's Grille
8.	CV	Primitivo Wine Bistro
9.	CV	Rose Café
10.	BZ	The Terrace Cafe
11.	CV	Venice Beach Wines
12.	BZ	Venice Whaler Bar & Grill

Bars et boîtes de nuit ☽

13.	CW	Hal's Bar and Grill
14.	BW	High Rooftop Lounge

Lèche-vitrine ■

15.	CW	Abbot Kinney Boulevard
16.	BX	Ocean Front Walk

Hébergement ▲

17.	BV	The Cadillac Hotel
18.	BW	Venice Beach Cotel
19.	BZ	Venice Beach House

Les canaux de Venice.

Venice

Venice Beach ★★★ [2]

La belle plage de Venice est bordée par une mer bleue et invitante. C'est le royaume des patineurs à roues alignées, des promeneurs et des cyclistes, sans oublier les amateurs de volleyball et de rayons ultraviolets. À ceux-ci se mêlent musiciens, magiciens, diseuses de bonne aventure et danseurs qui rivalisent de prouesses pour soutirer un peu de monnaie au long cortège des flâneurs qui défilent chaque jour d'été.

Cafés et restos

(voir carte p. 93)

Intelligentsia Coffee $ [5]
1331 Abbot Kinney Blvd., 310-399-1233, www.intelligentsiacoffee.com

Ce café très couru impressionne par son décor d'inspiration Belle Époque aux allures futuristes. Les cafés y sont préparés avec soin à partir de grains de qualité.

Jody Maroni's Sausage Kingdom $ [6]
2011 Ocean Front Walk, 310-822-5639, www.jodymaroni.com

Parmi les nombreux comptoirs d'alimentation qui bordent la promenade de Venice Beach, Jody Maroni's se distingue par l'originalité de son menu, entièrement composé de saucisses variées servies sur de petits pains croustillants. On trouve d'autres succursales de Jody Maroni's à travers le sud de la Californie, mais c'est ici à Venice que tout a commencé.

The Terrace Cafe $-$$ [10]
7 Washington Blvd., angle Ocean Front Walk, 310-578-1530, www.theterracecafe.com

Situé en bordure de l'extrémité sud de Venice Beach, cet établissement

Les canaux de Venice

Venice, une municipalité distincte jusqu'à ce qu'elle soit annexée à Los Angeles en 1925, doit son nom à la ville italienne de la côte Adriatique si célèbre pour ses canaux. Les marécages qui envahissaient une grande partie de l'actuelle Venice ont été asséchés à la fin du XXe siècle par l'héritier de l'empire du tabac Abbot Kinney, lequel y a alors aménagé un réseau de canaux de 26 km devant servir de fondement à ce qu'il espérait voir devenir un centre d'inspiration artistique et culturelle pour l'ensemble des Américains. Il a même fait venir des gondoliers d'Italie pour les cérémonies d'ouverture en 1905, si ce n'est que son projet s'est vite avéré irréalisable. Quelques décennies plus tard, Venice étant alors en proie à un profond déclin, on entreprit de remblayer et d'asphalter la plupart des canaux. Il n'en subsiste aujourd'hui que quelque 5 km, que l'on traverse par des ponts étroits dont certains datent des premiers jours. Vous les verrez dans la zone qui s'étend à l'est de Pacific Avenue et au sud de Venice Boulevard. Il faudrait une imagination débordante pour associer la Venice d'aujourd'hui à sa contrepartie italienne, mais quiconque ose s'aventurer à une certaine distance de la plage ne manquera pas d'apprécier les fascinants vestiges centenaires d'une Californie débordante d'imagination et d'excentricité.

Venice

propose un menu qui porte surtout sur les sandwichs, les pizzas, les pâtes et les salades, mais comporte également bon nombre de plats de fruits de mer pour le moins intéressants. Ouvert jusque tard dans la nuit. Petite terrasse.

Venice Beach Wines $$ [11]
529 Rose Ave., 310-606-2529,
www.venicebeachwines.com
Ce minuscule bistro de quartier jouxté d'une petite terrasse a de grands atouts : de succulents vins triés sur le volet et un menu de charcuteries et de fromages goûteux.

Hama Sushi $$-$$$ [4]
213 Windward Ave., 310-396-8783,
www.hamasushi.com
Cet établissement accueillant et décontracté se spécialise dans les sushis. S'y trouvent deux salles attrayantes garnies de tables et d'un long buffet de sushis, dont la liste change quotidiennement. Le menu comprend aussi des tempuras et des teriyakis.

Gjelina $$-$$$ [3]
1429 Abbot Kinney Blvd., 310-450-1429,
www.gjelina.com

Toujours bondé, le Gjelina propose un menu inspiré de la cuisine méditerranéenne. Les plats viennent pour la plupart en de petites portions, style tapas, ce qui permet d'en goûter plusieurs. Le brunch est un incontournable les fins de semaine.

Mercede's Grille $$-$$$ [7]
14 Washington Blvd., près de l'Ocean Front Walk, 310-827-6209, www.mercedesgrille.com

Situé près de l'extrémité sud de Venice Beach juste au nord de Marina del Rey, ce restaurant cubanocalifornien offre un choix imaginatif de hors-d'œuvre et de salades, de même qu'il sert plusieurs plats végétariens. Un menu de petits déjeuners vient compléter le tout.

Rose Café $$-$$$ [9]
220 Rose Ave., angle Main St., 310-399-0711, www.rosecafe.com

Le charmant Rose Café est réputé pour ses petits déjeuners. Les tables sont disposées sur une grande terrasse agréablement aménagée. Boutique de souvenirs attenante.

Venice Whaler Bar & Grill $$-$$$ [12]
10 Washington Blvd., angle Ocean Front Walk, 310-821-8737, www.venicewhaler.com

Pourvu d'une salle à manger aussi charmante qu'aérée en surplomb sur Venice Beach, cet établissement propose un menu varié de sandwichs, de pizzas, de salades et de plats de viande, mais aussi des mets plus recherchés tels que le pavé de thon blanc sauce au citron et aux câpres.

Primitivo Wine Bistro $$$ [8]
1025 Abbot Kinney Blvd., 310-396-5353, www.primitivowinebistro.com

À travers ses différentes tapas, le Primitivo Wine Bistro vous amène au pays de Don Quichotte. Que ce soit en dégustant une délicieuse paella ou une tortilla España, vous vous sentirez certainement emporter vers le Vieux Continent.

Bars et boîtes de nuit
(voir carte p. 93)

L'allée piétonne de Venice Beach reste mouvementée après la tombée de la nuit, offrant une atmosphère jeune et animée. Une sélection de petits restaurants, bars et cafés contribuent à garder vivante la zone bordant la plage autour de Winward Avenue durant une bonne partie de la nuit, tandis qu'Abbot Kinney Boulevard est le rendez-vous des gens branchés.

Hal's Bar and Grill [13]
1349 Abbot Kinney Blvd., 310-396-3105, www.halsbarandgrill.com

Le volet « bar » du Hal's Bar and Grill est toujours très animé, et des gens des quatre coins de la ville s'y donnent rendez-vous. Il va sans dire qu'avec un bar long de 12 m, l'heure

Ocean Front Walk.

de l'apéro s'impose comme l'une des plus conviviales.

High Rooftop Lounge [14]
Hotel Erwin, 1697 Pacific Ave., 310-452-1111, www.jdvhotels.com
Installée sur le toit de l'hôtel Erwin, cette très belle terrasse offre une vue magnifique sur Venice Beach. Il s'agit du parfait endroit pour prendre un verre en admirant le coucher du soleil.

Lèche-vitrine

(voir carte p. 93)

Artères commerciales

Ocean Front Walk [16]
À Venice, l'**Ocean Front Walk** (voir p. 91), qui fait face à Venice Beach, donne une nouvelle dimension au terme «inusité». Vous avez besoin d'un t-shirt *tie-dye*, de lunettes fumées originales, d'un bikini en cuir ou d'un bijou bien particulier pour lâcher votre fou? Voilà l'endroit idéal pour faire vos courses.

Abbot Kinney Boulevard [15]
Sur Abbot Kinney Boulevard, situé entre Brooks Street et Venice Boulevard au nord de Pacific Avenue, vous trouverez des boutiques branchées, des salons de beauté, des cafés et des bars, mais aussi une ambiance de rue tout à fait intéressante. Surtout le premier vendredi du mois (18h à 22h), alors qu'une grande fête de rue permet de visiter les galeries d'art et de magasiner tard en soirée.

Venice Beach.

6 ↘

San Pedro et Long Beach

À voir, à faire

(voir carte p. 103)

Bordée à l'ouest par la péninsule de Palos Verdes et au sud-est par la région d'Orange County, l'extrémité sud du comté de Los Angeles est un secteur résolument commercial qui compte quelques attraits qui méritent une visite.

San Pedro ★

À San Pedro, le district portuaire de la ville de Los Angeles situé sur la pointe sud de la péninsule de Palos Verdes, vous découvrirez le **Point Fermin Park ★★** [1] *(www. sanpedro.com/sp_point/ptfmpk. htm)*, un vaste espace vert avec des falaises escarpées surplombant le littoral et des cuvettes de marée, véritables microcosmes de la vie marine. Vous pourrez y profiter d'une vue imprenable non seulement sur l'océan, mais aussi sur les imposantes installations portuaires situées plus à l'est. Vous pourrez aussi observer de près ici les baleines grises lors de leurs pérégrinations annuelles (voir l'encadré p. 104).

Cabrillo Marine Aquarium ★ [2]

don suggéré 5$, stationnement 1$/h; mar-ven 12h à 17h, sam-dim 10h à 17h; 3720 Stephen M. White Dr., près de Pacific Ave., 310-548-7562, www.cabrilloaq.org

Situé tout près de la plage de Cabrillo, à l'extrémité sud-est de San Pedro, cet aquarium datant de 1981 n'est pas aussi vaste que l'Aquarium of the Pacific (voir plus loin) de Long Beach, mais il compte tout de même une trentaine de bassins d'eau salée où batifolent une impressionnante quantité de

Queen Mary.

poissons multicolores, d'oiseaux et de mammifères marins dans une belle diversité d'habitats.

Los Angeles Maritime Museum ★★ [3]

3$; mar-dim 10h à 17h; Berth 84, angle Sixth St. et Sampson Way, 310-548-7618, www.lamaritimemuseum.org

Situé dans l'ancien édifice maritime municipal, le Los Angeles Maritime Museum dresse un portrait des activités présentes et passées du port de San Pedro. Sa collection, répartie sur deux étages, comprend des maquettes de plus de 700 vaisseaux, notamment le *Titanic*, dont la reproduction de 5,5 m laisse voir l'intérieur du bâtiment.

Long Beach ★

Long Beach, située à l'est de San Pedro, de l'autre côté du Vincent Thomas Bridge, est la deuxième ville en importance du comté de Los Angeles avec près d'un demi-million d'habitants. Le centre-ville de Long Beach est situé à l'embouchure de la Los Angeles River, qu'on pourrait pratiquement qualifier de ruisseau.

Queen Mary ★★ [4]

à partir de 24,95$; tlj 10h à 18h; Pier J, 1126 Queens Hwy., 877-342-0738, www.queenmary.com

Amarré dans le port de Long Beach, le *Queen Mary* est l'un des principaux attraits de la région. Ce joyau de l'ère glorieuse des croisières de luxe pesant plus de 73 000 tonnes est entré en service en 1934. Au cours de la Seconde Guerre mondiale, le navire était au service de l'Armée américaine, qui l'utilisait pour transporter ses troupes. C'est en 1967, trois ans après son dernier voyage, qu'il fut amarré à Long Beach.

San Pedro et Long Beach

Point Fermin Park.

À voir, à faire ★

San Pedro
1. AZ Point Fermin Park
2. AZ Cabrillo Marine Aquarium
3. AZ Los Angeles Maritime Museum

Long Beach
4. DY Queen Mary
5. DX Aquarium of the Pacific

Cafés et restos ●

Long Beach
6. DX Alegria Cocina Latina
7. DX Belmont Brewing Company

8. DY Queen Mary Hotel
9. DX The Sky Room

Bars et boîtes de nuit ☽

Long Beach
10. DY Observation Bar

Lèche-vitrine ■

Long Beach
11. DX Shoreline Village

Hébergement ▲

Long Beach
12. DY Queen Mary Hotel

San Pedro et Long Beach

San Pedro et Long Beach

Observation des baleines

L'automne et l'hiver sont propices à l'observation des cétacés qui passent aux abords de la côte californienne lors de leur migration annuelle. À bord de bateaux spécialement affrétés, on peut apercevoir ces grands mammifères marins lorsqu'ils soufflent de la vapeur d'eau par leurs évents et brandissent la queue avant de plonger dans les profondeurs océanes. Les entreprises suivantes proposent des croisières d'observation de baleines au départ de San Pedro et de Long Beach :

Spirit Cruises
Berth 77, San Pedro, 310-548-8080,
www.spiritmarine.com

Harbor Breeze Cruises
100 Aquarium Way, Dock 2, Long Beach,
562-432-4900, www.2seewhales.com

Aujourd'hui, le *Queen Mary* présente des expositions qui attirent les foules, notamment celle dédiée aux robes de bal de la princesse Diana (Lady Di), en 2012. La visite permet également de se replonger dans l'ambiance particulière d'une période révolue. Avec ses cabines de luxe aux riches lambris, son incroyable salle de séjour de style Art déco, ses 12 ponts et ses 300 m de longueur, ce navire était un modèle de splendeur et d'élégance, le plus grand paquebot de son époque. Il abrite aujourd'hui un hôtel de 307 chambres (voir p. 145), et il est possible de déguster un brunch le dimanche dans une de ses principales salles à manger (voir p. 106).

Aquarium of the Pacific ★★ [5]
25,95$; tlj 9h à 18h; 100 Aquarium Way, près de Shoreline Dr., 562-590-3100, www.aquariumofpacific.org
Plus grand aquarium de la région, l'Aquarium of the Pacific est facilement reconnaissable à ses immenses panneaux de verre incurvés et à son toit ondulé. Trois zones du Pacifique y sont représentées : le sud de la Californie et la péninsule de Baja avec son climat tempéré, le Pacifique Nord et les eaux froides du détroit de Béring, ainsi que la région tropicale du Pacifique. De mignons mammifères marins, telles les otaries de mer, s'ébattent dans leurs bassins non loin des requins et des barracudas, et les araignées de mer géantes côtoient une multitude de petites créatures plus aimables.

Aquarium of the Pacific.

Cafés et restos

(voir carte p. 103)

Long Beach

Alegria Cocina Latina $$-$$$ [6]

115 Pine Ave., 562-436-3388,
www.alegriacocinalatina.com

L'Alegria Cocina Latina a compilé tous les plats de cuisine hispanique pour n'en retenir que les meilleurs, du *ceviche* au *molcajete* en passant par la *paella*, qui vaut d'ailleurs à elle seule le détour. Les vendredis et samedis soir, l'ambiance est réchauffée par des guitaristes jouant du *flamenco*.

Belmont Brewing Company $$-$$$ [7]

25 39th Place, 562-433-3891,
www.belmontbrewing.com

La Belmont Brewing Company propose aux amateurs de houblon ses bières maison, entre autres un *porter* foncé, le Long Beach Crude, qui ressemble un peu à l'or noir qui jaillit des puits situés à proximité. Salades, sandwichs, pâtes, viandes et poissons sont servis dans la salle à manger, au bar ou à la terrasse, qui offre une vue imposante sur la péninsule de Palos Verdes.

The Sky Room $$$-$$$$ [9]

40 S. Locust Ave., 562-983-2703,
www.theskyroom.com

Il faut délier les cordons de sa bourse pour s'offrir un repas au Sky Room, mais ça vaut la peine! Installée au sommet de l'édifice historique Breakers, son élégante salle à manger à l'accent Art déco offre une superbe vue de 360° sur L.A. Une bonne adresse pour impressionner votre copine ou copain!

San Pedro et Long Beach

San Pedro et Long Beach

Shoreline Village.

Queen Mary Hotel *$$$$* [8]
1126 Queens Hwy., 562-499-1606,
www.queenmary.com

Le buffet du dimanche *(9h30 à 14h)* du **Queen Mary Hotel** (voir p. 145) offre un choix de 50 plats inspirés des cuisines internationales. Vous mangerez au son d'une harpiste dans le luxueux Grand Salon, autrefois la salle à manger des passagers de première classe du navire *Queen Mary*. Service exemplaire.

Bars et boîtes de nuit

(voir carte p. 103)

Long Beach

Observation Bar [10]
1126 Queens Hwy., 562-449-1657

Les boîtes de nuit et les bars de Long Beach ne peuvent espérer rivaliser avec l'élégance de l'Observation Bar, à bord du *Queen Mary*. Les lambris d'essences rares, la magnifique peinture murale et les éléments Art déco créent un ensemble des plus raffinés.

Lèche-vitrine

(voir carte p. 103)

Long Beach

Centre commercial

Shoreline Village [11]
419 Shoreline Dr., 562-435-2668

Le Shoreline Village est un petit centre commercial à ciel ouvert aménagé dans un lieu magnifique aux abords de la baie et près de la marina de Long Beach. Il comprend une quinzaine de boutiques de souvenirs et plusieurs restaurants avec terrasse et vue sur l'eau.

7 ↘

Pasadena

À voir, à faire

(voir carte p. 109)

Située au nord de la ville de Los Angeles dans la San Gabriel Valley, **Pasadena** ★★ a réussi à préserver son atmosphère de petite ville à l'ancienne sans pour autant renoncer à son développement culturel et commercial, au point que ses installations rivalisent sans mal avec celles de la grande ville de Los Angeles. Cela dit, ce qui attire vraisemblablement le plus grand nombre de visiteurs sur place, c'est Colorado Boulevard et les rues bourgeoises du vieux Pasadena qui l'entourent; en grande partie piétonnières, elles exsudent un charme victorien peu commun et sont ponctuées de nombreux restaurants et boutiques pour le moins originaux.

Old Town Pasadena ★ [1]
concentré autour de Colorado Blvd. entre l'Arroyo Pkwy. à l'est et Pasadena Ave. à l'ouest, www.oldpasadena.org

Le vieux Pasadena, connu sous le nom d'Old Town Pasadena, est un bon point de départ pour votre visite. Il y a de cela un siècle, il s'agissait là du principal quartier commercial de Pasadena, et ses nombreux magasins et entrepôts d'antan ont été restaurés de manière à recréer l'atmosphère pittoresque d'une petite ville traditionnelle des États-Unis, si bien que nombreux sont ceux qui aiment y faire des achats, s'offrir un bon dîner, voir un film ou simplement parcourir ses larges trottoirs bordés de cafés. Plusieurs des bâtiments présentent des traits architecturaux pour le moins fantaisistes, en particulier le long de Raymond Avenue près de Green Street.

Pasadena

Pasadena

Old Town Pasadena.

À voir, à faire ★

1.	BY	Old Town Pasadena
2.	CY	City Hall
3.	CY	Playhouse District
4.	DY	Arcade Lane
5.	CY	Pacific Asia Museum
6.	AY	Norton Simon Museum of Art
7.	AX	Pasadena Museum of History
8.	AX	Gamble House
9.	EZ	Huntington Library, Art Collections and Botanical Gardens

Cafés et restos ●

10.	BY	All India Cafe
11.	BY	Azeen's Afghani Restaurant
12.	BY	Mi Piace
13.	BZ	Shiro
14.	BZ	The Raymond

Bars et boîtes de nuit ♩

15.	BY	Lucky Baldwin's Pub
16.	BY	Vertical Wine Bistro

Lèche-vitrine ■

17.	BY	Clothes Heaven
18.	BY	Old Focals
19.	AX	Rose Bowl Flea Market

Hébergement ▲

20.	AZ	Bissell House
21.	EY	The Saga Motor Hotel

N

x

y

z

S. San Gabriel Blvd.

S. Sierra Madre Blvd.

San Marino Ave.

Foothill Fwy.

E. Villa St.

E. Orange Grove Blvd.

E. Colorado Blvd.

S. Allen Ave.

E. California Blvd.

9

1km

0.5mi

e

0.5

0.25

0

Sierra Bonita Ave.

21

N. Hill Ave.

S. Hill Ave.

E. Walnut St.

Cordova St.

California Institute of Technology

E. California Blvd.

S. Catalina Ave.

d

210

S. Lake Ave.

4

E. Orange Grove Blvd.

N. El Molino Ave.

E. Villa St.

E. Union St.

E. Green St.

Oak Knoll Ave.

S. El Molino Ave.

E. Del Mar Blvd.

3

N. Los Robles Ave.

5

S. Los Robles Ave.

c

N. Euclid Ave.

S. Euclid Ave.

2

E. Colorado Blvd.

N. Marengo Ave.

E. Holly St.

S. Marengo Ave.

N. Arroyo Pkwy.

11

S. Arroyo Pkwy.

110

17

1

Foothill Fwy.

16

12

15

S. Raymond Ave.

14

N. Fair Oaks Ave.

10

S. Fair Oaks Ave.

S. Fair Oaks Ave.

13

W. Villa St.

18

b

W. Orange Grove Blvd.

W. Walnut St.

S. Pasadena Ave.

S. Saint John Ave.

210

Fwy.

Foothill

6

W. Orange Grove Blvd.

20

8

7

W. California Blvd.

Grand Ave.

19

Rosemont Ave.

Brookside Park

N. Arroyo Blvd.

West Dr.

Linda Vista Ave.

W. Colorado Blvd.

S. Arroyo Blvd.

a

©ULYSSE

City Hall ★ [2]
Garfield Ave., angle Union St.

Un des édifices publics les plus saisissants de toute la Californie est l'hôtel de ville de Pasadena, le City Hall. Inauguré en 1927, il est couronné d'un dôme de tuiles rouges et imprégné d'influences espagnole, mauresque et Renaissance italienne, en plus d'être doté d'un jardin intérieur avec fontaine.

Playhouse District ★ [3]
autour de Colorado Blvd. entre Los Robles Ave. à l'ouest et Catalina Ave. à l'est,
www.playhousedistrict.org

Tout juste à l'est de l'Old Town se trouve le Playhouse District. Ce quartier voué au commerce et au spectacle s'enrichit, sur plusieurs quadrilatères, de boutiques, de galeries d'art, de restaurants et de cafés, dont certains ont élu domicile sous les arcades à l'européenne du charmant segment connu sous le nom d'**Arcade Lane** [4] *(entrée au 696 Colorado Blvd.).*

Pacific Asia Museum ★ [5]
9$, gratuit les 4e vendredis du mois; mer-dim 10h à 18h, 46 N. Los Robles Ave., entre Union St. et Colorado Blvd., 626-449-2742, www.pacificasiamuseum.org

Dans le Playhouse District se trouve le Pacific Asia Museum, un véritable bijou d'architecture. Le bâtiment, conçu dans les années 1920 dans le style des palais impériaux de Chine, est par ailleurs flanqué d'un jardin et d'un étang tout à fait ravissants. Son espace très restreint ne permet la tenue que de petites expositions temporaires d'objets provenant de sa propre collection permanente, surtout composée d'œuvres d'art chinoises et japonaises de différentes périodes, quoique d'autres pays soient aussi représentés.

Norton Simon Museum of Art ★ ★ ★ [6]
10$; mer-dim 12h à 18h, ven jusqu'à 21h, 411 W. Colorado Blvd., 626-449-6840, www.nortonsimon.org

Un peu plus à l'ouest sur Colorado Boulevard surgit le Norton Simon Museum of Art, nommé en l'honneur d'un magnat de l'alimentation dont la collection personnelle de Degas, Renoir, Gauguin, Cézanne et plusieurs autres grands maîtres européens compte aujourd'hui pour une grande part de la collection permanente du musée, qui présente aussi une belle sélection d'œuvres de l'Inde et de l'Asie du Sud-Est. Le Norton Simon loge dans un bâti-

1. City Hall.
2. Norton Simon Museum of Art.

ment attrayant et bien aéré aux lignes dégagées et au design intelligent que jouxte un jardin de sculptures doté d'un café.

Pasadena Museum of History ★★ [7]
7$; mar dim 12h à 17h; 470 W. Walnut St., 626-577-1660, www.pasadenahistory.org

Quelques rues plus au nord sur Orange Grove Boulevard se trouve le petit Pasadena Museum of History. Le superbe manoir de 1906 qui l'abrite, connu sous le nom de Feynes House, fait partie des demeures de l'allée des millionnaires (*Millionaire's Row*) des premiers jours de Pasadena, et intéresse beaucoup plus que les collections de photographies et de souvenirs d'antan du musée. Les colonnes d'acajou de son entrée, ses tapis d'Orient et ses revêtements muraux en soie damassée sont particulièrement dignes de mention.

Gamble House ★★ [8]
12,50$; jeu-dim 10h à 16h, visites guidées aux 20 min à 30 min selon les jours; 4 Westmoreland Pl., 626-793-3334, www.gamblehouse.org

Une rue plus au nord s'élève la Gamble House. Construite en 1908 pour loger une des familles fondatrices de la Procter and Gamble Company, elle est généralement considérée comme un chef-d'œuvre du mouvement *Arts and Crafts*. On note l'apport considérable des traditions liées aux constructions en bois, plusieurs essences locales et exotiques ayant été mises à profit, mais aussi le caractère manifestement sud-californien de l'ensemble, notamment dans ses larges terrasses et ses porches béants (où l'on avait l'habitude de dormir).

Huntington Library, Art Collections and Botanical Gardens.

Pasadena

Huntington Library, Art Collections and Botanical Gardens ★ ★ ★ [9]

23$, entrée libre le premier jeudi du mois; fin mai à début sept mer-lun 10h30 à 16h30; début sept à fin mai mar-ven 12h à 16h30, sam-dim 10h30 à 16h30; 1151 Oxford Rd., près de Huntington Dr., San Marino, 626-405-2100, www.huntington.org

La ville de **San Marino**, située directement au sud de Pasadena, abrite les fabuleux Huntington Library, Art Collections and Botanical Gardens. L'ensemble repose sur les terres d'un ancien ranch qui appartenait jadis au magnat des chemins de fer Henry E. Huntington, lequel collectionnait livres et œuvres d'art avec une ferveur égale à celle qu'il déployait dans le développement de ses multiples entreprises.

La propriété de 84 ha comprend notamment une immense bibliothèque renfermant quelque 6 millions de documents, y compris un demi-million de livres rares; des galeries d'art exposant une des plus importantes collections d'œuvres européennes aux États-Unis; et une douzaine de jardins absolument charmants, dont un conçu spécialement pour les enfants. Un conservatoire consacré aux sciences botaniques, une librairie, un salon de thé et un restaurant servant des repas légers complètent les installations.

Cafés et restos

(voir carte p. 109)

All India Cafe *$-$$* [10]
39 S. Fair Oaks Ave., près de Colorado Blvd., 626-440-0309, www.allindiacafe.com

Ce café sans prétention du vieux Pasadena élabore un large éventail de plats indiens, y compris des mets végétariens, des tandouris et plusieurs spécialités de Mumbai (Bombay) comme le *frankie* d'agneau (morceaux d'agneau faisandé enveloppés dans un pain nan moelleux).

Azeen's Afghani Restaurant $$ [11]
110 E. Union St., près de l'Arroyo Parkway, 626-683-3310,
www.azeensafghanirestaurant.com

Cet authentique restaurant afghan au décor traditionnel est considéré comme l'un des meilleurs restaurants de Pasadena. Ses spécialités sont les kebabs (poulet, bœuf, agneau) et le riz pilaf. Plusieurs options végétariennes sont également proposées.

Mi Piace $$-$$$ [12]
25 E. Colorado Blvd., près de Fair Oaks Ave., 626-795-3131, www.mipiace.com

Ce populaire restaurant italien présente un intérieur lumineux à haut plafond et se prolonge de quelques tables en bordure du trottoir. Les spécialités du chef comprennent le blanc de poulet sauté sauce au citron et au vin blanc, les *capellini* aux légumes et les *linguine* aux fruits de mer.

Shiro $$$$ [13]
1505 Mission St., angle Fair Oaks Ave., 626-799-4774, www.restaurantshiro.com

Le restaurant du réputé chef Hideo *Shiro* Yamashiro incorpore des accents français et asiatiques à sa cuisine, de manière à composer un menu sur lequel vous pouvez tout aussi bien retrouver des côtelettes d'agneau marinées à la menthe et à l'ail que des escalopes à la sauce gingembre et à la limette ou des corégones aux câpres cuits à la vapeur.

The Raymond $$$$ [14]
1250 S. Fair Oaks Ave., angle Columbia St., 626-441-3136, www.theraymond.com

Ce restaurant est installé dans un cottage de style Craftsman, autrefois la maison de service de l'hôtel victorien The Raymond, d'où il tire son nom. Le chef Tim Guiltinan apporte une créativité et un instinct culinaire impeccable à ses plats de cuisine internationale. Vous avez la possibilité de vous asseoir directement au jardin, ce qui est une excellente idée pour les douces soirées d'été propres à la Californie.

Bars et boîtes de nuit

(voir carte p. 109)

Lucky Baldwin's Pub [15]
17 S. Raymond Ave., 626-795-0652, www.luckybaldwins.com

Ouvert par des Anglais en 1996, ce pub offre un grand choix de bières pression. Situé au cœur de l'Old Town et doté d'une terrasse agréable, le Lucky Baldwin's propose régulièrement des festivals célébrant différentes variétés de bières (allemandes, belges, India Pale Ales, etc.).

Vertical Wine Bistro [16]
70 N. Raymond Ave., 626-795-3999, www.verticalwinebistro.com

Cette très belle vinothèque doit son nom à l'escalier fort pentu qui y mène. Elle propose un décor luxueux et, bien sûr, une excellente carte des vins.

Pasadena

Rose Bowl Flea Market.

Pasadena

Lèche-vitrine
(voir carte p. 109)

Lunettes

Old Focals [18]
45 W. Green St., 626-793-7073

Si vous désirez protéger vos yeux du soleil californien, faites un saut à la boutique Old Focals. Elle offre un choix spectaculaire de lunettes en tous genres (au-delà de 50 000 paires!), notamment de style rétro des années 1950 et 1960.

Marché aux puces

Rose Bowl Flea Market [19]
8$, stationnement gratuit; 9h à 16h30; 991 Rosemont Ave., 323-560-7469

Le Rose Bowl Flea Market est un marché qui se tient le deuxième dimanche de chaque mois au stade de football de Pasadena qui porte son nom. Il se vante d'être le plus important marché aux puces des États-Unis: on y trouve plus de 2 500 marchands d'antiquités, de vêtements et de babioles en tous genres.

Mode

Clothes Heaven [17]
111 E. Union St., 626-440-0929

L'une des plus intéressantes boutiques de vêtements féminins de toute la région de Los Angeles, Clothes Heaven propose des créations d'occasion mais en parfaite condition des grands couturiers (Gucci, Chanel, Versace, Jean Paul Gaultier…), à une fraction du prix au détail.

8 ↘

La San Fernando Valley

À voir, à faire

(voir carte p. 117)

La **San Fernando Valley** ★, que les *Angelenos* appellent avec un certain ton péjoratif *The Valley*, est composée de quartiers résidentiels qui s'étendent à perte de vue et sont entrecoupés de nombreuses autoroutes à la circulation dense et d'une quantité incalculable de centres commerciaux et de magasins à grande surface. Malgré son manque criant d'espaces verts, la région compte néanmoins des attraits incontournables, en particulier ceux liés à l'industrie du cinéma et de la télévision. En effet, la majorité des grands studios ont quitté Hollywood il y a longtemps pour s'implanter dans les alentours de Burbank, situé au sud de la vallée.

Universal City

Universal Studios Hollywood ★★ [1]

80$, stationnement 15$; horaire variable;
100 Universal City Plaza, 818-622-4455,
www.universalstudioshollywood.com

Situés à Universal City, les Universal Studios Hollywood représentent le deuxième plus important attrait touristique du sud de la Californie, derrière Disneyland. Ce parc thématique compte 15 attractions, y compris la toute dernière, Transformers – The Ride 3D, inaugurée en 2012, et The Simpsons Ride, qui met en vedette la célèbre famille du dessin animé *The Simpsons*. Le principal attrait demeure toutefois le Studio Tour, une balade d'environ 30 min en véhicule motorisé qui fait le tour de différents décors de films et d'émissions de télévision.

La San Fernando Valley

La San Fernando Valley

Universal Studios Hollywood.

À voir, à faire ★

Universal City
1. DZ Universal Studios Hollywood

Burbank
2. DZ Warner Bros. Studios

Glendale
3. EZ Forest Lawn Memorial Park

Cafés et restos ●

Studio City
4. CZ Art's Delicatessen
5. CZ Du-par's Restaurant

Sherman Oaks
6. BZ Café Bizou

Lèche-vitrine ■

Universal City
7. DZ Universal CityWalk

Burbank
8. DY It's A Wrap!

Glendale
9. EZ The Americana at Brand

Hébergement ▲

Universal City
10. DZ Hilton Los Angeles/Universal City

Burbank
11. DY Coast Anabelle Hotel

La San Fernando Valley

La San Fernando Valley

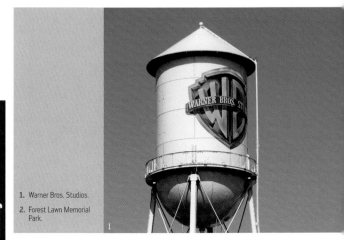

1. Warner Bros. Studios.
2. Forest Lawn Memorial Park.

Petit conseil: surtout n'achetez pas vos billets à l'entrée au prix fort. Vous trouverez facilement des rabais considérables sur le site Internet d'Universal Studios Hollywood ou des coupons de réduction aux comptoirs des bureaux touristiques ou des hôtels de la région de Los Angeles.

Burbank

Warner Bros. Studios ★★ [2]

49$ pour une visite guidée de 2h15, stationnement 7$; les enfants de moins de 8 ans ne sont pas admis; lun-ven 8h20 à 16h; 3400 Riverside Dr., 818-972-8687, www2.warnerbros.com/vipstudiotour

Installés à Burbank, les Warner Bros. Studios, créés en 1925, ont produit et produisent toujours de grands succès de la télévision et du cinéma. Signe des temps, ce sont les producteurs indépendants qui occupent dorénavant les studios. On y compte plus de 30 plateaux, et quelque 3 000 personnes y travaillent.

Lors de la visite guidée (voir l'encadré p. 119), il ne faut pas s'attendre à des démonstrations d'effets spéciaux ponctués d'explosions et de lasers, mais plutôt à une occasion unique de découvrir l'arrière-scène d'un véritable studio. Vous aurez entre autres la chance de circuler dans des décors intérieurs et extérieurs ayant servi au tournage de diverses productions.

Glendale

Forest Lawn Memorial Park ★★ [3]

entrée libre; tlj 8h à 17h; 1712 S. Glendale Ave., 323-254-3131 ou 800-204-3131, www.forestlawn.com

Réparti sur quatre emplacements différents dans l'agglomération de

La visite des studios

La visite des studios «d'Hollywood» (la plupart d'entre eux se trouvent aujourd'hui à l'extérieur d'Hollywood) permet d'avoir un aperçu de ce qui se passe au jour le jour dans les coulisses des grandes productions cinématographiques et télévisuelles. Étant donné que les projets en cours changent constamment, les visites elles-mêmes ne cessent d'évoluer, et revêtent toujours un caractère unique. Il est parfois possible d'apercevoir au passage une personnalité connue du monde du cinéma ou de la télévision, quoiqu'on n'emmène pas toujours les visiteurs sur les lieux mêmes des tournages. Il est toujours recommandé de réserver et de prévoir de bonnes chaussures de marche.

Les **Paramount Pictures Studios** *(48$; lun-ven départs aux 30 min entre 9h et 14h30; 5555 Melrose Ave., près de Gower St., entrée du stationnement dans Bronson St. au sud de Melrose Ave., Hollywood, 323-956-1777, www.paramountstudios.com)* sont les seuls grands studios à se trouver sur le territoire même d'Hollywood, et encore, ils ont pignon sur rue dans le paisible angle sud-est d'Hollywood, loin de l'action. La visite dure 2h, et les enfants de moins de 10 ans ne sont pas admis.

Les **Sony Pictures Studios** *(35$; lun-ven à 9h30, 10h30, 12h30 et 14h30; 10202 W. Washington Blvd., à l'est d'Overland Ave., Culver City, 310-244-8687, www.sonypicturesstudios.com)*, qui abritaient anciennement les légendaires studios de Metro-Goldwyn-Mayer (MGM), proposent une visite guidée à pied de 2h (les enfants de moins de 12 ans ne sont pas admis) qui donne un aperçu de leurs studios d'enregistrement historiques, des productions cinématographiques et télévisuelles en cours, ainsi que des progrès techniques à venir dans le domaine.

Les **Warner Bros. Studios** (voir p. 118) sont considérés par certains comme ceux qui offrent les meilleures visites, avec le moins d'artifices et le plus de réalisme, de même que la meilleure chance d'assister à un tournage en direct. La visite se fait partiellement à pied, partiellement en voiturette électrique; elle débute par un film de 15 min, suivi de la visite du Warner Bros. Museum, qui renferme des documents d'archives sur différentes stars. On vous fait ensuite faire le tour des vastes plateaux de tournage, avec leurs nombreux studios d'enregistrement et leurs différents services techniques.

Pour obtenir des billets vous permettant d'assister aux enregistrements de différentes émissions de télévision, vous pouvez vous adresser à **CBS** *(323-852-2458)*, **NBC** *(818-840-3537)*, **Audiences Unlimited** *(818-506-0043 www.tvtickets.com, distributeur attitré du réseau ABC)* ou **Television Tickets** *(323-467-4697)*. Il est préférable de faire sa demande longtemps à l'avance pour les émissions les plus courues, quoique des billets soient parfois disponibles le jour même de l'enregistrement.

Los Angeles, le Forest Lawn Memorial Park est probablement l'un des cimetières les plus impressionnants de tous les États-Unis. La section de Glendale constitue de loin la plus grandiose. Pendant la visite, il ne faut pas manquer de se rendre au Great Mausoleum, où reposent de nombreux artistes et écrivains américains, notamment le très populaire chanteur Michael Jackson. S'y trouvent aussi divers travaux reproduisant des chefs-d'œuvre de la Renaissance, entre autres un magnifique vitrail de Rosa Caselli Moretti représentant *la Cène* de Léonard de Vinci, et des copies du *Moïse*, de la *Pietà* et des statues de la chapelle Médicis de Michel-Ange. Un peu plus haut, dans le Freedom

Sony Pictures Studios.

Mausoleum, on peut admirer une statue de George Washington. Une reproduction du *David* de Michel-Ange peut également être contemplée dans la Court of David. Enfin, une *Crucifixion* de Jan Stykham, exposée toutes les heures dans le Hall of Crucifixion-Resurrection, ne constitue rien de moins que la plus grande toile religieuse au monde.

Cafés et restos

(voir carte p. 117)

Ventura Boulevard est l'une des grandes artères culinaires de la Californie. S'étirant sur des kilomètres à l'extrémité sud de la vallée de San Fernando à l'ouest d'Universal City, le boulevard traverse notamment les districts de Studio City, de Sherman Oaks et d'Encino. L'endroit est facilement accessible par la route 405, sortie «Ventura Boulevard». Voici quelques bonnes adresses situées sur cette artère.

Studio City

Art's Delicatessen $ [4]
12224 Ventura Blvd., 818-762-1221,
www.artsdeli.com
Petit restaurant fort sympathique, Art's Delicatessen est sans doute l'une des meilleures charcuteries hébraïques en ville. De copieux sandwichs de bœuf salé et de pastrami font le bonheur des habitués de l'endroit. Toutefois, ce sont les soupes aux boulettes de *matzo* et au chou qui constituent les spécialités du chef.

La San Fernando Valley

Du-par's Restaurant *$-$$* [5]
12036 Ventura Blvd., 818-766-4437,
www.du-pars.com

Le parement extérieur d'acier inoxy-dable du Du-par's Restaurant ne laisse aucun doute : voici un authen-tique *diner*, chromé tel qu'il l'était à son ouverture en 1948. Au menu : *hamburgers*, *club sandwiches* et *milk shakes*. Ce sont cependant les petits déjeuners gargantuesques qui font la réputation de l'établis-sement.

Sherman Oaks

Café Bizou *$$$* [6]
14016 Ventura Blvd., 818-788-3536,
www.cafebizou.com

Le resto français préféré de la val-lée offre un chic décor, un service de qualité et une excellente nourri-

ture à un prix plus que raisonnable. Pour 2$, on ouvre la bouteille de vin que vous apportez, ou encore vous pouvez opter pour la liste de vins au verre. Réservez à l'avance pour évi-ter une attente qui peut dépasser une heure.

Lèche-vitrine

(voir carte p. 117)

Universal City

Centre commercial

Universal CityWalk [7]
100 Universal City Plaza,
www.citywalkhollywood.com

L'Universal CityWalk, un centre commercial en plein air adja-cent aux **Universal Studios** (voir

1. Universal CityWalk.
2. The Americana at Brand.

La San Fernando Valley

p. 115), compte une trentaine de boutiques où l'on peut notamment se procurer des vêtements et, bien sûr, des souvenirs associés au thème du cinéma.

Burbank

Souvenirs

It's A Wrap! [8]
3315 W. Magnolia Blvd., 818-567-7366,
www.itsawraphollywood.com

Imprégnez-vous à fond de l'ambiance hollywoodienne en vous rendant chez It's A Wrap!, le seul magasin à vendre au public les vête-ments et accessoires utilisés dans les tournages de films et d'émissions de télévision.

Glendale

Centre commercial

The Americana at Brand [9]
889 Americana Way, 877-897-2097,
www.americanaatbrand.com

L'élégant centre commercial à ciel ouvert qu'est The Americana at Brand compte plus de 75 boutiques chics et restaurants, le tout autour d'une grande place avec fontaine et jeu d'eau illuminé.

Orange County

9 ↘

Orange County

À voir, à faire

(voir carte p. 127)

L'**Orange County** ★★★ s'étire le long de la côte du Pacifique entre les comtés de Los Angeles au nord et de San Diego au sud. Pour les visiteurs, l'endroit est surtout connu pour son plus célèbre résident, Mickey Mouse, ainsi que pour ses plages qui n'ont rien à envier à celles de Los Angeles. D'autres attraits sont toutefois dignes de mention, notamment le populaire parc d'attractions Knott's Berry Farm et la mission de San Juan Capistrano.

Anaheim

Disneyland Resort ★★★ [1]
adultes à partir de 87$/jour, enfants à partir de 81$/jour, stationnement 15$; 1313 S. Disneyland Dr., 714-520-5060, www.disneyland.disney.go.com

Situé à Anaheim, le Disneyland Resort est un complexe qui comprend deux parcs thématiques (Disneyland Park et Disney California Adventure Park), trois hôtels (voir p. 147) et Downtown Disney, qui regroupe des boutiques, des restaurants, des salles de spectacle et un cinéma.

Le **Disneyland Park** ★★★ correspond à la vision qu'avait Walt Disney de «l'endroit le plus heureux sur Terre» et constitue l'une des plus grandes attractions de la Californie. Le parc est divisé en huit «mondes fantastiques», dont les plus intéressants sont sans doute **Tomorrowland** ★★★, qui rassemble 11 attractions dont les populaires Buzz Lightyear Astro Blaster et Finding Nemo Submarine Voyage, et **Adventureland** ★★★, qui recrée l'environnement des jungles africaines et asiatiques. C'est ici qu'on retrouve l'Indiana Jones Adventure, probablement l'attrait le plus populaire de tout le parc, et la maison de

Disneyland Resort.

Orange County

Tarzan, nichée dans un arbre à 21 m du sol.

Le **Disney's California Adventure Park** ★★ a ouvert en 2001 avec l'intention de célébrer la Californie et les gens qui l'ont façonnée, des explorateurs aux entrepreneurs d'aujourd'hui en passant par les Autochtones et les immigrants. Il est divisé en cinq secteurs et compte en tout une vingtaine de manèges, soit environ la moitié de ceux qu'on retrouve au Disneyland Park. Le **Hollywood Picture Backlot** ★★ est un des secteurs les plus intéressants du parc. Aménagé comme un studio hollywoodien, il propose notamment l'un des principaux attraits du Disneyland Resort : The Twilight Zone Tower of Terror.

Buena Park

Knott's Berry Farm ★★ [2]
adultes 58$, enfants 30$, stationnement 15$, 8039 Beach Blvd., 714-220-5200, www.knotts.com

Si vous préférez un parc d'attractions plus traditionnel avec des manèges enlevants, dirigez-vous vers la ville de Buena Park et la Knott's Berry Farm, située à 10 min de route au nord-ouest de Disneyland. Au départ un modeste comptoir vendant du poulet frit et des tartes aux fruits en bordure de la route 39, la famille Knott a décidé d'installer quelques petits manèges tout autour au cours des années 1940 pour faire patienter ses clients, de plus en plus nombreux. Le premier parc d'attractions des États-Unis n'a depuis cessé de prendre de l'ampleur, pour devenir aujourd'hui l'un des attraits touristiques les plus populaires de la Californie.

Orange County

À voir, à faire ★

Anaheim
1. CX Disneyland Resort/Disneyland Park/Tomorrowland/ Adventureland/Disney's California Adventure Park/ Hollywood Picture Backlot

Buena Park
2. CX Knott's Berry Farm

Les plages d'Orange County
3. EZ Dana Point
4. CY Huntington Beach
5. DZ Laguna Beach
6. CZ Newport Beach
7. BX Seal Beach

San Juan Capistrano
8. EZ Mission San Juan Capistrano

Cafés et restos ●

Anaheim
9. DX J.T. Schmid's Brewhouse and Eatery

Buena Park
10. CX Mrs. Knott's Chicken Dinner Restaurant

Seal Beach
11. BX Koi
12. BX Mahe
13. BX Walt's Wharf

Huntington Beach
14. CY Matsu
15. CY Sugar Shack Cafe

Newport Beach
16. DY Roy's Newport Beach

Laguna Beach
17. DZ Madison Square & Garden Cafe
18. DZ Wahoo's Fish Tacos

San Juan Capistrano
19. EZ L'Hirondelle

Bars et boîtes de nuit ♪

Huntington Beach
20. CY Duke's Barefoot Bar
21. CY Gallagher's
22. CY Huntington Beach Beer Company

Newport Beach
23. CY Beach Ball
24. CY Muldoon's Dublin Pub & Celtic Bar

25. CY Newport Beach Brewing Company
26. CY The Blue Beet

Laguna Beach
27. DZ Marine Room Tavern

San Juan Capistrano
28. EZ Swallows Inn

Lèche-vitrine ■

Anaheim
29. CX Disneyland Resort

Huntington Beach
30. CY Farmer's Market/Art A-Fair Street Fair

Newport Beach
31. DY Fashion Island

Hébergement ▲

Anaheim
32. CX Doubletree Suites by Hilton Hotel Anaheim Resort – Convention Center
33. CX Disneyland Resort

Buena Park
34. CX Radisson Suites Hotel Buena Park

Knott's Berry Farm.

Orange County

La Knott's Berry Farm propose une quarantaine de manèges installés dans six zones thématiques: la Ghost Town (ville fantôme), les Indian Trails (sur la piste des Indiens), le Fiesta Village (une réplique d'un village mexicain), le Boardwalk (promenade), le Wild Water Wilderness (qui propose une descente dans la plus longue rivière artificielle de Californie) et le Camp Snoopy, où Snoopy et les autres personnages de la bande dessinée *Peanuts* ont établi leur demeure et où les enfants peuvent faire l'expérience des manèges réservés aux adultes, mais en version réduite.

Les plages d'Orange County

La côte d'Orange County propose de nombreuses plages, très fré-quentées ou plus intimes, ainsi que des récifs offrant des vues spectaculaires. Les plus intéressantes demeurent celles des communau-tés de **Dana Point** ★★ [3], **Huntington Beach** ★★ [4], **Laguna Beach** ★★★ [5], **Newport Beach** ★★ [6] et **Seal Beach** ★★ [7]. La principale artère, la Pacific Coast Highway (route 1), longe littéralement l'océan sur la majeure partie du territoire et permet de rejoindre chacune de ces plages.

Pourquoi ne pas profiter de votre passage dans l'Orange County pour vous initier au **surf**, ce sport si typique du sud de la Californie? Huntington Beach se désigne elle-même « Surf City USA », et elle offre une pléthore de boutiques de surf où l'on peut louer des planches à un prix raisonnable. On surfe surtout aux abords du quai, ce qui convient d'ailleurs tout à fait aux débutants dans la mesure où l'on y trouve généralement des sauveteurs en service.

San Juan Capistrano

Mission San Juan Capistrano ★★★ [8]

9$, guide audio inclus, offert en plusieurs langues dont le français; tlj 8h30 à 17h; 26801 Ortega Hwy., angle Camino Capistrano, 949-234-1300, www.missionsjc.com

La Mission San Juan Capistrano est située dans la ville du même nom, tout juste à l'est de Dana Point. Attirant plus de 500 000 visiteurs par an, elle figure au troisième rang des attraits les plus visités de l'Orange County (derrière Disneyland et la Knott's Berry Farm). Fondée en 1776, la propriété évoque un sentiment de vénération, et vous serez d'emblée ravi par la beauté romantique, spirituelle et envoûtante des lieux. À l'intérieur, des fontaines mauresques agrémentent de luxuriants jardins, et les visiteurs peuvent errer à leur gré sur le site, depuis les anciennes casernes militaires jusqu'aux quartiers cléricaux, en passant par le cimetière, près duquel ils pourront admirer la petite Serra Chapel, soit le plus ancien bâtiment de toute la Californie. À l'intérieur de cette chapelle se dresse un magnifique autel en or de style baroque qui date de 350 ans.

Mission San Juan Capistrano.

Cafés et restos

(voir carte p. 127)

Anaheim

J.T. Schmid's Brewhouse and Eatery $$-$$$ [9]
2610 E. Katella Ave., 714-634-9200,
www.jtschmidsrestaurants.com
Situé près de l'Angel Stadium d'Anaheim, J.T. Schmid's s'emplit avant et après tous les matchs de baseball présentés dans cette enceinte. Vous y trouverez une brasserie offrant un choix d'ales et de bières blondes pour accompagner votre repas californien.

Buena Park

Mrs. Knott's Chicken Dinner Restaurant $-$$ [10]
8039 Beach Blvd., 714-220-5080,
www.knotts.com
Depuis 1934, on sert dans cet établissement du poulet frit et de la tarte aux fruits tous apprêtés selon les recettes originales de Mme Knott. Le restaurant est devenu si populaire au cours des années 1940 que la famille a installé quelques manèges dans sa cour pour faire patienter sa clientèle. Ainsi est né le premier parc d'attractions des États-Unis, la **Knott's Berry Farm** (voir p. 125).

Orange County

Madison Square & Garden Cafe.

Seal Beach

Koi $$-$$$ [11]
600 Pacific Coast Hwy., 562-431-1186,
www.koisushi.com

Koi est le restaurant le plus populaire de Seal Beach depuis plus de trois décennies. Le menu affiche un vaste choix de mets japonais, notamment les sushis, les teriyakis et les tempuras.

Mahe $$$ [12]
1400 Pacific Coast Hwy., 562-431-3022,
www.maherestaurant.com

Le Mahe sert des sushis et des plats de poisson, de fruits de mer et de viande d'une grande fraîcheur et toujours bien apprêtés. Les vendredis et samedis soir, l'ambiance est à la fête alors que des groupes de musique jouent sur scène.

Walt's Wharf $$$-$$$$ [13]
201 Main St., 562-598-4433,
www.waltswharf.com

Le Walt's Wharf est surtout réputé pour son poisson frais du jour, mais il propose également de bons plats de viande et des pâtes maison. Bonne carte des vins.

Huntington Beach

Sugar Shack Cafe $ [15]
213 Main St., 714-536-0355,
www.hbsugarshack.com

Ce restaurant familial sert depuis 1967 les petits déjeuners les plus populaires de Huntington Beach.

Matsu $$-$$$ [14]
18035 Beach Blvd., 714-848-4404,
www.matsusogood.com

Dans ce restaurant japonais, vous aurez notamment le choix entre les sushis, les teriyakis et les tempuras ou les plats «Teppan» préparés par le chef devant vous. Le service est très aimable, et les ingrédients sont toujours frais.

Newport Beach

Roy's Newport Beach $$$-$$$$ [16]
453 Newport Center Dr., 949-640-7697, www.roysrestaurant.com

Roy's a causé tout un émoi lorsqu'il s'est installé à Newport. Son menu a été créé par Roy Yamaguchi, qui a rendu célèbre l'établissement original d'Hawaii. Sa cuisine fusion pour le moins unique, où s'allient fruits de mer frais, sauces françaises classiques et assaisonnements asiatiques, revêt des accents hawaïens et vous est présentée avec art.

Laguna Beach

Wahoo's Fish Tacos $ [18]
1133 S. Pacific Coast Hwy., 949-497-0033, www.wahoos.com

Wahoo's est devenu une institution californienne en matière de prêt-à-manger plus ou moins santé. Optez pour un de ses nombreux *tacos* de poisson, allant du thon au *mahi-mahi*.

Madison Square & Garden Cafe $-$$ [17]
320 N. Pacific Coast Hwy., 949-494-0137, www.madisonsquare.com

Cet adorable café localisé au centre d'un jardin vous conviendra parfaitement pour une pâtisserie et un cappuccino au moment de parcourir les boutiques des environs.

San Juan Capistrano

L'Hirondelle $$$-$$$$ [19]
31631 Camino Capistrano, 949-661-0425, www.lhirondellesjc.com

Des bougainvilliers roses caressent les murs de ce beau restaurant en adobe. À l'intérieur, spécialités françaises et belges sont servies dans un adorable jardin en terrasses offrant une vue sur la mission. Service impeccable.

Bars et boîtes de nuit

(voir carte p. 127)

Huntington Beach

Duke's Barefoot Bar [20]
Duke's of Hawaii, 317 Pacific Coast Hwy., 714-374-6446, www.dukeshuntington.com

Outre son restaurant hawaïen bien populaire, le Duke's of Hawaii offre le Barefoot Bar avec une superbe vue sur la mer, et une ambiance et un décor de vacances.

Gallagher's [21]
300 Pacific Coast Hwy., Suite 113, 714-536-2422, www.gallagherspub.com

Le populaire pub irlandais Gallagher's présente des spectacles de musique presque tous les soirs. Les jeudis, vous pouvez assister à la Comedy Night, qui met en vedette des humoristes.

Orange County

Huntington Beach Beer Company [22]

201 E. Main St., 714-960-5343,
www.hbbeerco.com

Cette sympathique microbrasserie propose une variété de bières maison qui varient avec les saisons, ainsi qu'une agréable terrasse avec vue sur la plage.

Newport Beach

Beach Ball [23]

2116 W. Oceanfront, 949-675-8041,
www.beachballbar.com

Ce petit bar très populaire, situé en bord de mer, se remplit rapidement, et l'ambiance de fête dure toute la journée et se prolonge la nuit. On y trouve quelques tables de billard.

Muldoon's Dublin Pub & Celtic Bar [24]

202 Newport Center Dr., 949-640-4110,
www.muldoonspub.com

On y sert bien sûr de la bière pression d'Irlande et d'Angleterre, et des musiciens y donnent des concerts du vendredi au dimanche. La grande terrasse et les repas très convenables en font une adresse de choix.

Newport Beach Brewing Company [25]

2920 Newport Blvd., 949-675-8449,
www.nbbrewco.com

La Newport Beach Brewing Company est la seule microbrasserie de Newport Beach, et elle propose un assortiment de bières maison à déguster à l'intérieur ou au jardin.

The Blue Beet [26]

107 21st Place, 949-275-4413,
www.thebluebeet.com

The Blue Beet est une boîte de jazz et de blues fort prisée située aux abords du quai de Newport.

Laguna Beach

Marine Room Tavern [27]

214 Ocean Ave., 949-494-3027

Ce bar est très populaire auprès des résidents de Laguna Beach. Des musiciens animent l'endroit tous les soirs.

San Juan Capistrano

Swallows Inn [28]

31786 Camino Capistrano, 949-493-3188,
www.swallowsinn.com

Le Swallows Inn est un *saloon* qui propose de la musique rock et country sur scène tous les soirs. Enfilez vos bottes, joignez-vous aux danses en ligne et profitez de la bière bon marché.

Lèche-vitrine

(voir carte p. 127)

Anaheim

Souvenirs

Disneyland Resort [29]

1313 S. Disneyland Dr., 714-520-5060,
www.disneyland.disney.go.com

À l'intérieur des parcs du Disneyland Resort, on retrouve autant de boutiques de souvenirs que de manèges. Les deux boutiques les plus intéressantes sont situées dans le secteur de Main Street, U.S.A. **Emporium** pro-

Fashion Island.

pose la plus grande collection d'objets-souvenirs, alors que **China Closet** se spécialise dans les objets de collection en porcelaine et en céramique.

On compte une vingtaine de boutiques dans le secteur de **Downtown Disney**. Plusieurs sont intéressantes, mais une seule vaut absolument le détour, la **Disney Vault 28**, où la mode *hip* rencontre l'univers de Disney. Les vêtements qu'on y trouve contrastent agréablement avec l'ambiance habituelle de Disney.

Huntington Beach

Marché public, art et artisanat

Farmer's Market/Art A-Fair Street Fair [30]
Pier Plaza

Le Farmer's Market et l'Art A-Fair Street Fair se déroulent le vendredi de midi au crépuscule et la fin de semaine de 10h à 19h sur la Pier Plaza, près de la jetée de Huntington Beach. En plus des fruits et légumes de la région, vous y aurez un excellent choix d'objets d'art et de collection confectionnés à la main.

Newport Beach

Centre commercial

Fashion Island [31]
401 Newport Center Dr., 949-721-2000,
www.shopfashionisland.com

Le prestigieux centre commercial à ciel ouvert Fashion Island regroupe plus de 200 boutiques spécialisées et grands magasins. L'agréable ambiance méditerranéenne des lieux pourrait vous y faire dépenser beaucoup plus d'argent que vous ne l'auriez espéré…

los angeles
pratique

⟍ Les formalités

Passeports et visas

Pour entrer aux États-Unis par voie aérienne, les citoyens canadiens ont besoin d'un passeport. S'ils entrent par voie terrestre ou maritime, ils pourront présenter soit leur passeport ou leur «permis de conduire Plus», qui sert à la fois de permis de conduire et de document de voyage.

Les résidents d'une trentaine de pays dont la France, la Belgique et la Suisse, en voyage d'agrément ou d'affaires, n'ont plus besoin d'être en possession d'un visa pour entrer aux États-Unis à condition de :

- avoir un billet d'avion aller-retour;

- présenter un passeport électronique sauf s'ils possèdent un passeport individuel à lecture optique en cours de validité et émis au plus tard le 25 octobre 2005; à défaut, l'obtention d'un visa sera obligatoire;

- projeter un séjour d'au plus 90 jours (le séjour ne peut être prolongé sur place : le visiteur ne peut changer de statut, accepter un emploi ou étudier);

- présenter des preuves de solvabilité (carte de crédit, chèques de voyage);

- remplir le formulaire de demande d'exemption de visa (formulaire I-94W) remis par la compagnie de transport pendant le vol;

- le visa est toujours nécessaire pour certaines catégories de voyageurs (étudiants ou visa précédemment refusé).

Depuis janvier 2009, les ressortissants des pays bénéficiaires du Programme d'exemption de visa doivent obtenir une autorisation de séjour avant d'entamer leur voyage aux États-Unis. Afin d'obtenir cette autorisation, les voyageurs éligibles doivent remplir le questionnaire du Système électronique d'autorisation de voyage (ESTA) au moins 72h avant leur déplacement aux États-Unis. Ce formulaire est disponible gratuitement sur le site Internet administré par le U.S. Department of Homeland Security *(https:// esta.cbp.dhs.gov/esta/esta.html)*.

Précaution : les soins hospitaliers étant extrêmement coûteux aux États-Unis, il est conseillé de se munir d'une bonne assurance maladie.

⟍ L'arrivée

Par avion

Los Angeles International Airport

Situé à 15 mi (24 km) au sud-ouest du centre-ville de Los Angeles, le **Los Angeles International Airport (LAX)** *(310-646-5252, www. lawa.org/lax)* est le quatrième aéro-

Los Angeles International Airport.

port le plus fréquenté du monde, avec 60 millions de passagers qui y transitent chaque année. Il est desservi par un grand nombre de compagnies aériennes et compte neuf terminaux reliés entre eux par un réseau de navettes. Au centre des terminaux se trouve le futuriste **Theme Building**, désigné monument historique et culturel par la ville en 1992, qui abrite notamment un restaurant panoramique.

La plupart des grandes agences de location de voitures ont leurs bureaux et leurs points de services dans un espace relativement restreint immédiatement au nord-est de l'aéroport. Chacune d'entre elles dispose d'autobus (désignés du nom de *courtesy shuttles*) qui cueillent et déposent leurs clients à des arrêts fixes situés à l'étage inférieur de chaque terminal.

Westwood (West Los Angeles), Van Nuys (San Fernando Valley) et l'Union Station (centre-ville de Los Angeles) sont desservis au départ du LAX par des autobus réguliers et directs dénommés **FlyAway Bus** *(à partir de 7$; 866-435-9529)*. Le service est excellent et confortable, à une fraction du prix d'une course en taxi. Pour vous procurer vos billets, adressez-vous au kiosque marqué «FlyAway, Buses & Long Distance Vans» à l'étage inférieur de chaque terminal.

Une navette gratuite, la **G Shuttle**, assure la liaison avec la station Aviation de la Metro Rail Green Line au départ de l'aire d'arrivée de chaque terminal. Une seconde navette gratuite, la **C Shuttle**, emmène ses passagers au Metro Bus Center, à proximité de l'aire de stationnement C de l'aéroport, d'où partent des autobus

Los Angeles pratique

desservant différents secteurs de Los Angeles.

Plusieurs compagnies de transport, parmi lesquelles se trouvent **SuperShuttle** *(800-258-3826, www.supershuttle.com)* et **Prime Time Shuttle** *(800-733-8267, www. primetimeshuttle.com)*, exploitent des lignes de minibus offrant un service de porte à porte à coût fixe vers divers points de chute de la région métropolitaine. Les services de minibus peuvent être réservés à l'avance ou à l'arrivée à l'aéroport, grâce aux téléphones payants de l'aérogare ou aux téléphones gratuits qui se trouvent dans les aires de retrait des bagages. Les minibus peuvent aussi être hélés aux arrêts marqués «Shared Ride Vans» à l'étage inférieur de chacun des terminaux.

On trouve facilement des taxis à l'étage inférieur de chacun des terminaux. Pour atteindre le centre-ville de L.A. ou Hollywood, il vous en coûtera environ 60$ (sans compter le pourboire).

Par voiture

Les automobilistes qui arrivent à Los Angeles par le nord (ou qui quittent la métropole en direction nord) disposent de trois options principales. L'**Interstate 5** (ou route I-5) offre le lien le plus rapide en provenance ou à destination de San Francisco. Cette route se prolonge vers le nord en traversant l'État de l'Oregon et l'État de Washington jusqu'à la frontière canadienne aux abords de Van-

couver. Une route moins rapide mais plus intéressante est l'**U.S. Highway 101**, qui épouse les contours de la côte Pacifique à certains endroits près de San Luis Obispo et de Santa Barbara. La route la plus lente, mais aussi la plus panoramique, est la **Pacific Coast Highway** (route 1), soit une route étroite et sinueuse qui étreint la côte Pacifique sur presque tout son parcours.

Au sud, vers San Diego et Tijuana, au Mexique, l'Interstate 5 est vraiment la seule route directe. L'Interstate 405, qui longe la partie ouest de Los Angeles et bifurque ensuite vers l'est au-delà de Long Beach, croise la route I-5 dans le sud de l'Orange County. Filant vers l'est au départ de L.A., l'Interstate 10 traverse l'Arizona, le Nouveau-Mexique et le sud du Texas jusqu'en Floride. Pour vous rendre à Las Vegas, sachez que la route I-10 rejoint la route I-15 près de San Bernardino.

Par autocar

La compagnie **Greyhound** *(800-231-2222, www.greyhound.com)* dessert les gares d'autocars de **Los Angeles** *(1716 E. Seventh St., 213-629-8401)* et de **Long Beach** *(1498 Long Beach Blvd., 562-218-3011)*.

Par train

Les trains d'**Amtrak** *(800-872-7245, www.amtrak.com)* s'arrêtent à l'**Union Station** *(800 N. Alameda St.)*, dans le centre-ville de Los Angeles. Cette gare est notamment desservie par le *Coast*

Union Station.

Starlight, qui part de Seattle et passe par Portland et San Francisco avant de terminer sa course à Los Angeles, et par le *Southwest Chief*, qui relie Chicago à Los Angeles en passant par Kansas City, Albuquerque et Flagstaff.

Le logement

Le choix d'un lieu d'hébergement dans une grande ville peut souvent être une tâche intimidante. Et dans une métropole décentralisée aux ramifications tentaculaires telle que Los Angeles, les distances posent un problème supplémentaire. Au demeurant, même pour le plus impécunieux des voyageurs, le temps c'est de l'argent, et il serait peu judicieux de le gaspiller sur les autoroutes encombrées ou dans les transports en commun peu rapides

de L.A. Avant de jeter votre dévolu sur un lieu d'hébergement, prenez donc la peine de songer aux secteurs de la ville que vous êtes plus susceptible de visiter, et faites votre choix en conséquence.

Location d'appartements

Divers sites Internet proposent de mettre directement en contact les voyageurs avec des résidents de Los Angeles qui louent une chambre ou un appartement complet, moyennant des frais de service retenus sur le coût de chaque location. Cette option permet de faire de bonnes économies sur le coût de l'hébergement, mais il importe évidemment de demeurer vigilant, notamment en vérifiant les commentaires laissés par d'autres locateurs.

Los Angeles pratique

Voici quelques sites qui offrent ce service :

www.airbnb.com
www.homeaway.com
www.roomorama.com

Auberges de jeunesse

Hollywood International Hostel $
6820 Hollywood Blvd., près de Highland Ave., Hollywood, 323-463-2770 ou 800-557-7038, www.ushostel.com

Hostelling International Santa Monica $
1436 Second St., au sud de Santa Monica Blvd., Santa Monica, 310-393-9913, www.hilosangeles.org

Hostelling International – Los Angeles South Bay $
3601 S. Gaffey St., Building 613, San Pedro, 310-831-8109, www.hihostels.com

Hôtels

Les tarifs indiqués dans ce guide s'appliquent, sauf indication contraire, à une chambre pour deux personnes en haute saison, et ils n'incluent pas les taxes.

$	moins de 100$
$$	de 101$ à 149$
$$$	de 150$ à 249$
$$$$	de 250$ à 350$
$$$$$	plus de 350$

Chacun des établissements inscrits dans ce guide s'y retrouve en raison de ses qualités ou particularités, en plus de son rapport qualité/prix. Parmi ce groupe déjà sélect, certains établissements se distinguent encore plus que les autres.

Nous leur avons donc attribué le label Ulysse 🐚. Celui-ci peut se retrouver dans n'importe lesquelles des catégories d'établissements : supérieure, moyenne-élevée, petit budget. Quoi qu'il en soit, dans chacun de ces établissements, vous en aurez pour votre argent. Repérez-les en premier !

Le centre-ville de Los Angeles
(voir carte p. 33)

🐚 **O Hotel** $$-$$$ [47]
819 S. Flower St., 213-623-9904, www.ohotelgroup.com

Cet hôtel-boutique situé en plein centre-ville offre un excellent rapport qualité/prix. Les chambres aménagées dans cet immeuble datant de 1920 sont très modernes et comprennent notamment des réveille-matin avec station d'accueil pour iPod.

Millennium Biltmore Hotel Los Angeles $$$ [46]
506 S. Grand Ave., angle Fifth St., 213-624-1011 ou 866-866-8086 , www.millenniumhotels.com

Le Millennium Biltmore Hotel est une institution du cœur même du centre-ville. Construit en 1923, cet immeuble de 11 étages s'enorgueillit de son élégant hall garni de marbre et de ses chambres et suites somptueusement aménagées et confortables à souhait. C'est dans sa Crystal Ballroom qu'étaient remis les Academy Awards (les Oscars) dans les années 1930 et 1940.

The Standard Downtown LA Hotel.

The Standard Downtown LA Hotel $$$$ [48]
550 S. Flower St., angle Sixth St., 213-892-8080, www.standardhotels.com

Certainement précurseur du grand mouvement de revitalisation du centre-ville de Los Angeles, l'hôtel The Standard Downtown LA offre un charme à saveur moderne à la fois branché et intime. Sa magnifique piscine installée sur le toit est l'hôtesse de nombreuses soirées de l'industrie du cinéma.

Hollywood
(voir carte p. 48-49)

Hollywood City Inn $-$$ [27]
1615 N. Western Ave.,près d'Hollywood Blvd., 323-469-2700, www.hollywoodcityinn.net

Ce petit motel est situé à 1,5 km à l'est du Hollywood Walk of Fame et à moins de 1 km de l'entrée du Griffith Park. Les chambres sont propres et le service attentif. Sans grand charme, mais un bon rapport qualité/prix pour la région.

Magic Castle Hotel $$$ [60]
7025 Franklin Ave., près de Sycamore Ave., 323-851-0800 ou 800-741-4915, www.magiccastlehotel.com

Le Magic Castle Hotel répartit ses chambres et ses suites spacieuses au décor moderne autour d'un jardin et d'une grande piscine chauffée. Toutes les unités disposent d'une cuisinette. Très bon rapport qualité/prix.

Loews Hollywood Hotel $$$-$$$$ [59]
Hollywood & Highland Center, 1755 N. Highland Ave., à quelques pas d'Hollywood Blvd., 323-856-1200 ou 855-563-9749, www.loewshotels.com

Partie intégrante du **Hollywood & Highland Center** (voir p. 62),

Los Angeles pratique

cet hôtel de grand luxe propose des chambres élégantes aux couleurs vives offrant une vue superbe sur la ville et les collines d'Hollywood.

Hollywood Roosevelt Hotel $$$$-$$$$$ [58]
7000 Hollywood Blvd., angle Orange Dr., 323-466-7000 ou 800-950-7667, www.hollywoodroosevelt.com

Construit en 1927, le Hollywood Roosevelt Hotel vous fait remonter dans le temps jusqu'à une époque plus romantique d'Hollywood. Situé dans le centre-ville d'Hollywood, ce monument Art déco regorge de souvenirs d'Hollywood. La toute première cérémonie des Oscars s'est d'ailleurs déroulée dans la salle de bal du Roosevelt en 1929.

W Hollywood $$$$-$$$$$ [61]
6250 Hollywood Blvd., 323-798-1300, www.starwoodhotels.com

Le W Hollywood s'élève dans le bleu du ciel californien avec ses deux grandes tours reliées par un vaste parterre aménagé en terrasse. Les chambres décorées en blanc et la piscine installée sur le toit offrent une vue magnifique sur la Cité des Anges.

West Hollywood
(voir carte p. 48-49)

Le Montrose Suite Hotel $$$$ [62]
900 Hammond St., 310-885-1115 ou 800-776-0666, www.lemontrose.com

Le Montrose offre un bon rapport qualité/prix avec ses suites spacieuses et son service de haut niveau. Il a l'avantage d'être niché dans un quartier résidentiel très paisible malgré la proximité des activités nocturnes de West Hollywood.

Sunset Marquis $$$$-$$$$$ [64]
1200 Alta Loma Rd., au sud de Sunset Blvd., 310-657-1333, www.sunsetmarquis.com

Établi pendant les années 1960 pour recevoir les musiciens qui affluaient alors sur la jeune et effervescente Sunset Strip, le Sunset Marquis est un hôtel situé légèrement en retrait de Sunset Boulevard et offre un hébergement en suites et en villas.

⊛ Mondrian $$$$$ [63]
8440 Sunset Blvd., deux rues à l'est de La Cienega Blvd., 323-650-8999 ou 800-4969-1780, www.mondrianhotel.com

Le Mondrian est un chef-d'œuvre de design réalisé à partir d'un ancien immeuble d'appartements de West Hollywood. Ses chambres et suites offrent toutes de superbes vues sur la ville et un chic décor minimaliste.

Wilshire
(voir carte p. 67)

Cinema Suites $$ [46]
925 S. Fairfax Ave., 323-272-3160, www.cinemasuites.biz

Ce gîte touristique est aménagé dans une belle demeure de style espagnol dotée d'un joli jardin. Il est situé à proximité du **Los Angeles County Museum of Art** (voir p. 65), d'Hollywood Boulevard et de Rodeo Drive.

W Hollywood.

Park Plaza Lodge Hotel $$ [48]
6001 W. Third St., près de Martell Ave.,
entre La Brea et Fairfax, 323-931-1501,
www.parkplazalodgehotel.com

Le Park Plaza Lodge avoisine le
centre commercial **The Grove** (voir
p. 68) et se trouve à distance de
marche du **Los Angeles County
Museum of Art** (voir p. 65).
Ses chambres sont spacieuses et
convenablement meublées. Bon
rapport qualité/prix.

Farmer's Daughter Hotel
$$$ [47]
115 S. Fairfax Ave., 323-937-3930,
www.farmersdaughterhotel.com

Idéalement situé aux limites des
secteurs de West Hollywood, Hollywood et Wilshire, cet hôtel convi-
vial offre une hospitalité digne du
sud du pays. Le thème « à la ferme »
se révèle dans de nombreux détails,
allant des rideaux à carreaux au

couvre-lit en denim. Une grande terrasse attend les clients du restaurant de l'hôtel, le **Tart** (voir p. 74).

Beverly Hills
(voir carte p. 67)

Hotel Beverly Terrace $$$ [50]
469 N. Doheny Dr., 310-274-8141,
www.hotelbeverlyterrace.com

La localisation centrale de cet
hôtel, aux limites de Beverly Hills
et de West Hollywood, permet aux
voyageurs de découvrir à pied les
quartiers environnants, un rare pri-
vilège à L.A. Les chambres sont plu-
tôt petites, mais la propreté des
lieux ajoute au confort.

Beverly Wilshire $$$$$ [49]
9500 Wilshire Blvd., 310-275-5200,
www.fourseasons.com/beverlywilshire

Véritable symbole de Beverly Hills,
cet hôtel trône au pied de Rodeo

Los Angeles pratique

Drive. Le service s'approche de la perfection, et les clients ne peuvent qu'apprécier les restaurants, les bars, la piscine et le magnifique spa du Beverly Wilshire.

The Beverly Hills Hotel and Bungalows $$$$$ [51]
9641 Sunset Blvd., 310-276-2251,
www.thebeverlyhillshotel.com

Surnommé le *Pink Palace*, le légendaire Beverly Hills Hotel offre luxe et confort à sa clientèle de gens riches et célèbres. Chacune de ses chambres et suites dispose d'œuvres d'art originales et de la dernière technologie en matière de confort et de services.

Bel Air
(voir carte p. 67)

Hotel Bel-Air $$$$$ [52]
701 Stone Canyon Rd., au nord de l'UCLA,
310-472-1211, www.hotelbelair.com

Le Bel-Air propose un petit coin de paradis dans un décor luxueux et serein. L'élégant aménagement extérieur de l'établissement comprend de magnifiques jardins, et les chambres offrent le summum de l'opulence et du confort.

Santa Monica
(voir carte p. 83)

Sea Shore Motel $$-$$$ [31]
2637 Main St., angle Hill St., en face de la plage, 310-392-2787, www.seashoremotel.com

Le Sea Shore Motel se trouve près de la mer et des restaurants très fréquentés de Main Street, mais tout de même à une certaine distance

du centre-ville de Santa Monica. Les chambres sont ordinaires mais confortables. Bon rapport qualité/prix.

Fairmont Miramar Hotel & Bungalows $$$$$ [30]
101 Wilshire Blvd., 310-576-7777,
www.fairmont.com/santamonica

Cet hôtel de grand luxe comprend une tour moderne de 10 étages avec vue sur la mer, une aile historique de six étages aux chambres spacieuses et au décor traditionnel, ainsi que 32 somptueuses villas avec terrasse privée. Ouvert en 1921 et récemment rénové, il fut le lieu de séjour de plusieurs personnalités politiques et vedettes d'Hollywood.

Venice
(voir carte p. 93)

Venice Beach Cotel $ [18]
25 Windward Ave., à une rue de la plage,
310-399-7649 ou 888-718-8287,
www.venicebeachcotel.com

Le Venice Beach Cotel dispose de dortoirs de trois à six lits chacun et de chambres privées. L'établissement s'est refait une beauté à la suite d'importants travaux de rénovation en 2012.

The Cadillac Hotel $$-$$$ [17]
8 Dudley Ave., en face de Venice Beach,
310-399-8876, www.thecadillachotel.com

Le Cadillac est un hôtel qui a pignon sur la très colorée promenade de Venice Beach. Restauré, l'établissement date de 1905, et plusieurs de ses chambres ont vue sur la mer. À ne pas manquer : le coucher de soleil depuis le toit-terrasse de l'hôtel.

Hotel Bel-Air.

Venice Beach House
$$$-$$$$$ [19]
15 30th Ave., près de la plage, 310-823-1966, www.venicebeachhouse.com

Il s'agit là d'une propriété affectueusement entretenue qui figure au registre national des lieux historiques. Ses neuf chambres offrent une atmosphère chaleureuse et intime et sont rehaussées de meubles antiques.

Long Beach
(voir carte p. 103)

Queen Mary Hotel $$$ [12]
1126 Queens Hwy., 562-435-3511 ou 877-342-0742, www.queenmary.com

Long Beach offre aux visiteurs une rare occasion de séjourner à bord d'un paquebot de grande tradition, sans devoir payer le prix d'une croisière. Parce qu'il s'agit d'un navire (voir p. 101), certaines des chambres sont petites, et peu de lumière pénètre par les hublots. Mais c'est fou ce que l'on peut supporter pour séjourner dans un tel cadre!

Pasadena
(voir carte p. 109)

The Saga Motor Hotel $-$$ [21]
1633 E. Colorado Blvd., 626-795-0431 ou 800-793-7242, www.thesagamotorhotel.com

Les travaux de rénovation de ces dernières années n'ont pas supprimé tout le charme de cet hôtel construit dans les années 1950. Les chambres sont propres, bien que petites. Préférez celles entourant la piscine extérieure pour éviter le bruit de la rue. La meilleure affaire au cœur de Pasadena.

Los Angeles pratique

Doubletree Suites by Hilton Hotel Anaheim Resort – Convention Center.

✸ Bissell House $$$ [20]

201 Orange Grove Ave., angle Columbia St.,
626-441-3535 ou 800-441-3530,
www.bissellhouse.com

La Bissell House est une maison historique à dentelle de bois qui date de 1887 et repose dans l'allée des millionnaires de Pasadena. Les six chambres renferment un mobilier antique, y compris une baignoire à l'ancienne.

Universal City
(voir carte p. 117)

Hilton Los Angeles/ Universal City $$$ [10]

555 Universal Terrace Pkwy., 818-506-2500 ou 800-445-8667, www.hilton.com

Le luxueux hôtel Hilton Los Angeles/Universal City est situé à moins de 5 min de marche des Universal Studios. Vous pouvez également vous rendre à ces attractions à bord de la navette gratuite qui offre un service constant entre 7h et 22h.

Burbank
(voir carte p. 117)

Coast Anabelle Hotel $$-$$$ [11]

2011 W. Olive St., 818-845-7800 ou 800-782-4373, www.coastanabelle.com

«Petit hôtel de luxe», voilà comment se définit le Coast Anabelle Hotel, ce qui colle bien à sa personnalité. Il profite en outre d'une avantageuse localisation, à quelques minutes de marche des studios de la NBC et de la Warner Bros.

Los Angeles pratique

Anaheim
(voir carte p. 127)

Doubletree Suites by Hilton Hotel Anaheim Resort – Convention Center *$$-$$$* [32]
2085 S. Harbor Blvd., 714-750-3000, www.doubletree1.hilton.com

Cet hôtel est l'un des plus populaires auprès des familles qui visitent Disneyland. Ses chambres sont spacieuses, particulièrement les suites qui sont offertes à prix raisonnable.

Disneyland Resort
(voir carte p. 127)

L'expérience du monde merveilleux de Disney ne serait pas complète si l'on ne loge pas dans un hôtel du complexe. Le coût est toutefois très élevé, même dans le moins cher des trois hôtels de Disneyland (**Disneyland Hotel**, **Disney's Paradise Pier Hotel** et **Disney's Grand Californian Hotel & Spa**) [33]. Nous vous suggérons de consulter les forfaits offerts sur le site du Disneyland Resort *(http://disneyland.disney.go.com)*.

Buena Park
(voir carte p. 127)

Radisson Suites Hotel Buena Park *$$* [34]
7762 Beach Blvd., 714-739-5600 ou 800-395-7046, www.radisson.com/buenaparkca

Le Radisson Suites Hotel Buena Park propose des mini-suites d'une chambre à coucher fermée, flanquée d'une salle de séjour. Service de navette gratuit pour la **Knott's Berry Farm** (voir p. 125).

Les déplacements

Orientation

Dans nombre d'agglomérations urbaines du monde, les principaux attraits se trouvent essentiellement dans le centre-ville ou dans ses environs immédiats, et les autres points d'intérêt sont facilement accessibles en de courtes excursions. Or, il en va tout autrement à Los Angeles, car son centre-ville ne recèle qu'un certain nombre de curiosités, si bien que les visiteurs passent souvent beaucoup plus de temps dans les autres secteurs de la ville.

Vous devrez donc non seulement envisager plusieurs déplacements, mais aussi planifier soigneusement vos itinéraires en raison des distances à parcourir. Vous ne pourrez, par exemple, passer de Pasadena à Santa Monica comme si de rien n'était, car, même dans les meilleures conditions, ce seul déplacement demande près d'une heure. Par ailleurs, si beaucoup de points d'intérêt sont regroupés dans quelques secteurs bien circonscrits, ils peuvent néanmoins être passablement éloignés les uns des autres.

En voiture

Le réseau d'autoroutes urbaines de L.A. est sans doute l'un des plus tentaculaires qui soient, bien qu'il n'y ait pas vraiment autant d'autoroutes qu'il n'y paraît à première

Los Angeles pratique

vue. À L.A., le rêve initial formulé dans les années 1950 d'une ville construite autour de l'automobile s'est transformé au fil des ans en cauchemar pour beaucoup d'automobilistes, lesquels doivent se résigner à des vitesses toujours plus lentes et affronter au quotidien des bouchons spectaculaires, et pas seulement aux heures de pointe. Cela dit, il est souvent possible d'éviter complètement les autoroutes, si ce n'est que quiconque entre à Los Angeles ou doit parcourir de grandes distances à l'intérieur de la région métropolitaine a de «bonnes chances», s'il se trouve en voiture, de passer beaucoup de temps sur ces voies rapides.

Le stationnement ne pose pas souvent de problème dans la majeure partie de L.A. Il peut cependant être plus difficile de se garer dans le centre-ville de L.A. et dans le centre-ville de Santa Monica, de même qu'aux abords de Venice Beach et dans certaines parties d'Hollywood ou de Beverly Hills. Cela ne veut généralement pas dire qu'il est impossible de se garer, mais tout simplement qu'il faut alors souvent se rabattre sur les parcs de stationnement payants, les espaces gratuits le long des rues étant beaucoup plus rares (à ce sujet, il faut s'assurer de ne pas garer sa voiture le long d'un trottoir dont la bordure est peinte en rouge, car cela indique que le stationnement est interdit). Par ail-

leurs, sachez que plusieurs stationnements publics offrent gratuitement les deux premières heures, mais que le prix monte en flèche par la suite.

En transports en commun

En dépit de sa réputation bien méritée de ville tentaculaire hantée par l'automobile, Los Angeles possède un réseau de transports en commun passablement étendu, qui est d'ailleurs en voie d'améliorations importantes partout dans la métropole. Le principal exploitant du réseau de transports de L.A. est la **Los Angeles County Metropolitan Transportation Authority** (appelée MTA ou Metro) *(800-266-6883, www.metro.net)*. Elle comprend le Metro Rail (métro souterrain et aérien) et le réseau d'autobus.

Le coût d'un droit de passage régulier sur le réseau avec le Metro Rail ou l'autobus est de 1,50$ quelle que soit votre destination à l'intérieur du Los Angeles County. Un laissez-passer pour la journée est aussi disponible au coût de 5$ avec le Metro Rail.

Les titres de correspondance entre autobus ou entre autobus et trains légers coûtent 0,35$ l'unité, et peuvent être utilisés jusqu'à l'heure qui y est inscrite.

DASH *(323-222-0010, www. ladottransit.com/dash)* exploite

Westlake MacArthur Park Station, MTA.

certaines lignes du centre-ville de L.A. sur de courtes distances, de même que certains autres tronçons, notamment à Hollywood. Il n'en coûte que 0,50$ pour monter à bord des autobus DASH, mais il convient de savoir qu'on n'y honore ni les cartes ni les titres de correspondance du Metro Rail.

Par ailleurs, certaines municipalités du comté de Los Angeles exploitent leurs propres lignes d'autobus. Le réseau qui répond sans doute aux besoins du plus grand nombre de visiteurs est le **Santa Monica Municipal Bus Lines** *(310-451-5444, www.bigbluebus.com)*, dont le tarif est de 1$ par passage (2$ sur la ligne express n° 10 entre Santa Monica et le centre-ville de L.A.).

En taxi

En règle générale, les taxis ne sont pas utilisés par les propriétaires de voitures, mais plutôt par les gens à pied. Or, comme la plupart des habitants de L.A. qui ont assez d'argent pour prendre un taxi ne se trouvent que rarement loin de leur propre véhicule, la demande de service de taxi reste faible, si bien qu'il y a finalement peu de taxis pour une ville de cette envergure. Vous trouverez néanmoins des stations de taxis en certains endroits, notamment aux aéroports, à la principale gare ferroviaire, devant certains grands hôtels – surtout dans le centre-ville –, de même que dans plusieurs secteurs densément piétonniers du centre-ville, d'Hollywood ou de Santa Monica. Sinon, vous devrez appeler une compagnie de taxis en

Los Angeles pratique

Circuits panoramiques en voiture

La région de Los Angeles présente un paysage unique. Bordée par l'océan, de nombreuses montagnes et le désert, elle est sillonnée de routes panoramiques qui valent la peine d'être explorées. Accordez-vous le plaisir de louer une voiture décapotable, car vos balades n'en seront que plus spectaculaires.

Mulholland Drive

Perchée sur la montagne qui sépare la vallée de San Fernando de la ville, Mulholland Drive est assurément l'une des routes les plus spectaculaires de la région de Los Angeles. Vous aurez, le long de ce chemin sinueux, une vue splendide sur Bel Air, Beverly Hills, Hollywood et le centre-ville d'un côté, et l'immense vallée de San Fernando de l'autre côté. Vous rencontrerez des points d'observation le long de la route, et à l'occasion des sentiers, où vous pourrez non seulement admirer l'horizon, mais aussi les immenses propriétés perchées tout près, de part et d'autre de la montagne. Pour accéder à Mulholland Drive, prenez la sortie du même nom à partir de la route 405 et suivez les indications (direction est). Votre balade se terminera, quelque 20 km plus loin, à la route 101 (ici dénommée Hollywood Freeway).

Les résidences des célébrités

Pour prendre le pouls de la richesse de Los Angeles, rien de tel qu'une balade en voiture dans les rues de Beverly Hills au nord de Santa Monica Boulevard. On vous suggère de circuler le long de Sunset Boulevard, à la hauteur de Beverly Hills et de Bel Air, et d'emprunter au hasard des rues transversales en direction nord. Vous désirez voir les maisons des stars du cinéma? Sachez que celles-ci se trouvent surtout dans les montagnes ou à leur pied. Inutile de vous donner ici des adresses puisque les résidences changent souvent de propriétaires. Il y en a toutefois une qui attire l'attention depuis plus de 30 ans, le Playboy Mansion. On ne peut vous obtenir une invitation pour une fête donnée par le fondateur de l'empire Playboy, Hugh Hefner, mais on peut à tout le moins vous indiquer que son manoir se trouve au 10236 Charing Cross Road, aux limites de Bel Air. Si votre curiosité n'est toujours pas satisfaite, sachez que vous verrez à plusieurs endroits, le long de Sunset Boulevard, des gens assis sur des chaises à l'angle des rues avec des affiches *Star Maps Here*. Vous pourrez vous procurer pour environ 10$ une de ces cartes routières comportant les adresses exactes de plusieurs dizaines de célébrités.

Piste cyclable de Santa Monica.

espérant que le répartiteur soit en mesure de localiser un véhicule pas trop loin de l'endroit où vous vous trouvez (l'attente peut parfois être assez longue).

Yellow Cab: 877-733-3305

City Cab: 800-750-4400

Independent Taxi: 800-521-8294

À pied

Une grande partie du centre-ville de L.A. peut facilement être parcourue à pied, la circulation piétonnière se faisant tout particulièrement dense et animée sur Broadway Avenue et les rues plus à l'ouest. À Santa Monica, trois quadrilatères très fréquentés de Third Street sont complètement fermés à la circulation automobile et créent l'une des plus grandes zones piétonnières au monde, agréable à parcourir le jour comme le soir, soit la **Third Street Promenade** (voir p. 84). Et il va sans dire que plusieurs longs rubans de plage offrent l'occasion de promenades rêvées, **Venice Beach** (voir p. 94) étant sans doute la plus intéressante. Certaines secteurs d'Hollywood, de Beverly Hills et de Westwood attirent également un grand nombre de piétons.

À vélo

Avec la dense circulation automobile, nous ne saurions recommander le vélo comme moyen de transport dans les rues de Los Angeles. Il y a toutefois dans la région presque autant de pistes cyclables que d'autoroutes, et elles sont rarement congestionnées. Nombre d'entre elles longent des parcs, des

Los Angeles pratique

rivières, des canaux d'aqueduc et des lacs, offrant de beaux panoramas diversifiés de la région. La piste qui longe la mer entre **Venice** et **Santa Monica** est particulièrement agréable.

Bon à savoir

Ambassades et consulats étrangers aux États-Unis

Belgique

Ambassade: 3330 Garfield St. NW, Washington, DC 20008, 202-333-6900, www.diplobel.us

Consulat: 6100 Wilshire Blvd., Suite 1200, Los Angeles, CA 90048, 323-857-1244, www.diplomatie.be/losangelesfr

Canada

Ambassade: 501 Pennsylvania Ave. NW, Washington, DC 20001, 202-682-1740, www.canadianembassy.org

Consulat: 550 S. Hope St., 9th Floor, Los Angeles, CA 90071, 213-346-2700, www.canadainternational.gc.ca/los_angeles

France

Ambassade: 4101 Reservoir Rd. NW, Washington, DC 20007, 202-944-6000, www.ambafrance-us.org

Consulat: 10390 Santa Monica Blvd., Suite 410, Los Angeles, CA 90025, 310-235-3200, www.consulfrance-losangeles.org

Suisse

Ambassade: 2900 Cathedral Avenue NW, Washington, DC 20008, 202-745-7900, www.swissemb.org

Consulat: 11766 Wilshire Blvd., Suite 1400, Los Angeles, CA 90025, 310-575-1145, www.eda.admin.ch/losangeles

Argent et services financiers

Monnaie

L'unité monétaire des États-Unis est le dollar américain ($US), divisé en 100 cents. Il existe des billets de banque de 1, 5, 10, 20, 50 et 100 dollars, ainsi que des pièces de 1 (*penny*), 5 (*nickel*), 10 (*dime*) et 25 (*quarter*) cents. Il y a aussi

Taux de change

1$US	=	0,99$CA
1$US	=	0,76€
1$US	=	0,91FS
1$CA	=	1,01$US
1€	=	1,32$US
1FS	=	1,09$US

N.B. Les taux de change peuvent fluctuer en tout temps.

The Cat & Fiddle.

les pièces d'un demi-dollar et d'un dollar ainsi que le billet de deux dollars, mais ils sont très rarement utilisés.

Il est à noter que tous les prix mentionnés dans le présent ouvrage sont en dollars américains.

Banques

Les banques sont généralement ouvertes du lundi au vendredi, de 9h à 15h. Le meilleur moyen pour retirer de l'argent à Los Angeles consiste à utiliser sa carte bancaire (carte de guichet automatique). Attention, votre banque vous facturera des frais fixes (par exemple 5$CA), et il vaut mieux éviter de retirer de petites sommes.

Change

La plupart des banques changent facilement les devises européennes et canadiennes, mais presque toutes demandent des frais de change. En outre, vous pouvez vous adresser à des bureaux ou comptoirs de change qui, en général, n'exigent aucune commission. Ces bureaux ont souvent des heures d'ouverture plus longues. La règle à retenir : se renseigner et comparer.

Bars et boîtes de nuit

À Los Angeles, comme partout en Californie, il est interdit de fumer, entre autres dans les lieux publics, dans les bars et les boîtes de nuit. Le dernier service pour l'alcool est à 2h. Les bars qui présentent des spectacles demandent habi-

Los Angeles pratique

tuellement un prix d'entrée, qui pourra varier selon le jour de la semaine, souvent plus élevé la fin de semaine. L'âge légal pour acheter et consommer de l'alcool est de 21 ans.

Climat

Los Angeles jouit d'un climat méditerranéen tempéré, caractérisé par des étés chauds et secs et des hivers frais. La plus grande partie de la ville bénéficie cependant de la proximité des chaînes de montagnes situées au nord et à l'est, qui la protègent du froid comme de la chaleur extrême. Sachez toutefois que près de la côte Pacifique, par exemple à Santa Monica, la température en hiver dépasse rarement les 15°C le jour, et peut même descendre jusqu'à 5°C la nuit. Les pluies tombent généralement de novembre à mars, mais elles restent modérées.

Quoi apporter

À Los Angeles, le style vestimentaire est beaucoup plus décontracté qu'en Europe notamment. Seuls les restaurants et boîtes de nuit chics peuvent exiger le port de la cravate et du veston. Pour janvier et février, prévoyez des vêtements de pluie. En toute saison, munissez-vous de t-shirts, de chemises et de pantalons ainsi que de lunettes de soleil. Toutefois, n'oubliez pas votre veste ou tricot, car, même en été, la température se rafraîchit la nuit.

Moyennes des températures et des précipitations

	Jan	Fév	Mars	Avr	Mai	Juin	Juil	Août	Sept	Oct	Nov	Déc
Max.	19	20	20	22	23	25	28	29	28	26	22	19
Min.	7	8	9	11	14	15	17	18	17	14	10	7
Précip. (mm)	63	63	50	17	4	1	0	3	7	7	42	43

Dolby Theatre.

↘

Calendrier des événements

Février

Academy Awards
www.oscars.org
Les Academy Awards se tiennent au **Dolby Theatre** (voir p. 51).

Pan African Film and Art Festival
323-295-1706, www.paff.org
Présenté dans différentes salles de Los Angeles, le Pan African Film and Art Festival est dédié aux artistes et aux œuvres cinématographiques afro-américaines et africaines.

Mars

LA Marathon
310-271-7200, www.lamarathon.com
Le LA Marathon se déroule chaque année au début du printemps et propose un superbe parcours intitulé *Stadium to Sea*, entre le Dodger Stadium de Los Angeles et la côte Pacifique à Santa Monica.

Los Angeles pratique

Hollywood Bowl.

Avril

WestWeek
213-626-6222, www.pacificdesigncenter.com

Présentée au **Pacific Design Center** (voir p. 56), la WestWeek est le rendez-vous annuel des architectes et designers qui proposent les dernières tendances en décoration.

Mai

JazzReggae Festival
310-825-9912, www.jazzreggaefest.com

À la fin de mai, à l'Intramural Field du campus d'UCLA, le JazzReggae Festival offre deux jours de concerts de jazz et de reggae, bien sûr, mais aussi de hip-hop.

Juin

Playboy Jazz Festival
http://playboyjazzfestival.com

À la mi-juin, au **Hollywood Bowl** (voir p. 53), le Playboy Jazz Festival propose des concerts des grands noms du jazz.

LA PRIDE
www.lapride.org

Voir p. 164.

Los Angeles Film Festival
866-345-6337, www.lafilmfest.com

Également à la mi-juin, le Los Angeles Film Festival présente quelque 200 films de cinéastes indépendants d'une quarantaine de pays, dont plusieurs premières mondiales.

Juillet

Outfest: The Los Angeles Gay & Lesbian Film Festival
213-480-7088, www.outfest.org

Dans différentes salles de cinéma d'Hollywood, ce festival propose près de 150 films de cinéastes gays et lesbiennes provenant de quelque 25 pays.

Août

Los Angeles Latino International Film Festival
323-446-2770, www.latinofilm.org

Le Los Angeles Latino International Film Festival fait le bonheur de la grande communauté hispanique de Los Angeles. Les films sont présentés dans différentes salles de la ville, entre autres l'**Egyptian Theatre** (voir p. 52).

Nisei Week
213-687-7193, www.niseiweek.org

Durant la Nisei Week, la communauté japonaise de Los Angeles célèbre sa culture dans le quartier de Little Tokyo, près du centre-ville, avec des danses, des concerts et des expositions artistiques.

Sunset Strip Music Festival
310-659-7368,
www.sunsetstripmusicfestival.com

Série de concerts présentés par plusieurs grands noms de la musique populaire dans les bars de la légendaire Sunset Strip.

Octobre

Fall Festival
323-933-9211, www.farmersmarketla.com

Le Fall Festival du **Farmers Market** (voir p. 69) fait le bonheur des *Angelenos* depuis 1934, avec une fin de semaine toute en musique et de l'animation pour les enfants.

West Hollywood Halloween Costume Carnaval
www.westhollywoodhalloween.com

Voir p. 164.

Los Angeles pratique

Noël à Beverly Hills.

Décalage horaire

Lorsqu'il est midi à Montréal, il est 9h à Los Angeles. Le décalage horaire pour la France, la Belgique ou la Suisse est de neuf heures. Attention cependant aux changements d'heures, qui ne se font pas aux mêmes dates qu'en Europe : aux États-Unis et au Canada, l'heure d'hiver entre en vigueur le premier dimanche de novembre (on recule d'une heure) et prend fin le deuxième dimanche de mars (on avance d'une heure).

Électricité

Partout aux États-Unis et en Amérique du Nord, la tension électrique est de 110 volts et de 60 cycles (Europe : 50 cycles) ; aussi, pour utiliser des appareils électriques européens, devrez-vous vous munir d'un convertisseur de courant adéquat, à moins que le chargeur de votre appareil n'indique 110-240V.

Les fiches d'électricité sont plates, et vous pourrez trouver des adaptateurs sur place ou, avant de partir, vous en procurer dans une boutique d'accessoires de voyage ou dans une librairie de voyage.

Fumeurs

Tous les lieux publics de la Californie, y compris les bars et les restaurants, sont non-fumeurs.

Heures d'ouverture

Les commerces sont généralement ouverts du lundi au mercredi de 9h30 à 17h30 (parfois jusqu'à 18h), le jeudi et le vendredi de 10h à 21h, et le dimanche de midi à 17h. Les supermarchés ferment en revanche plus tard ou restent même, dans certains cas, ouverts 24 heures sur 24, tous les jours par semaine. Les bureaux de poste sont ouverts du lundi au vendredi de 8h à 17h30 (parfois jusqu'à 18h) et le samedi de 8h à midi.

Jours fériés

Voici la liste des jours fériés aux États-Unis. Notez que la plupart des magasins, services administratifs et banques sont fermés pendant ces jours.

New Year's Day (jour de l'An)
1er janvier

Martin Luther King, Jr.'s Birthday
troisième lundi de janvier

President's Day (anniversaire de George Washington)
troisième lundi de février

Memorial Day
dernier lundi de mai

Independence Day (fête nationale des Américains)
4 juillet

Labor Day (fête du Travail)
premier lundi de septembre

Columbus Day (jour de Christophe Colomb)
deuxième lundi d'octobre

Veterans Day (jour des Vétérans et de l'Armistice)
11 novembre

Thanksgiving Day (Action de grâce)
quatrième jeudi de novembre

Christmas Day (Noël)
25 décembre

Pourboire

Le pourboire s'applique à tous les services rendus à table, c'est-à-dire dans les restaurants ou autres endroits où l'on vous sert à table (la restauration rapide n'entre donc pas dans cette catégorie). Il est aussi de rigueur dans les bars, les boîtes de nuit et les taxis.

Selon la qualité du service rendu, il faut compter environ 15% de pourboire sur le montant avant les taxes. Il n'est pas, comme en Europe, inclus dans l'addition, et le client doit le calculer lui-même et le remettre à la serveuse ou au serveur; service et pourboire sont une même et seule chose en Amérique du Nord. Les porteurs dans les aéroports et les chasseurs dans les hôtels reçoivent généralement 1$ par valise. Les femmes de chambre, quant à elles, s'attendent à recevoir 1$ ou 2$ par personne par jour. Ne pas donner de pourboire est très, très mal vu!

Presse écrite

Le grand quotidien de Los Angeles est le *Los Angeles Times* (www.latimes.com). La plupart des hôtels le distribuent gratuitement. Dans l'édition du vendredi, vous y trouverez tous les événements, spectacles et concerts à venir au cours du week-end.

Le magazine *Where* (www.wherela.com) et l'hebdomadaire gratuit

Los Angeles pratique

L.A. Weekly (www.laweekly.com) brossent tous deux un tableau général de ce que la ville a à offrir en termes d'attraits, de restaurants, de bars, de spectacles, de boutiques, d'expositions et d'événements spéciaux.

Renseignements touristiques

Los Angeles Tourism and Convention Board: 800-228-2452, www.discoverlosangeles.com

Downtown Los Angeles Visitor Information Center: Union Station, 800 N. Alemeda St.

Hollywood Visitor Information Center: Hollywood & Highland Center, 6801 Hollywood Blvd.

West Hollywood Marketing and Visitors Bureau: 310-289-2525 ou 800-368-6020, www.visitwesthollywood.com

Beverly Hills Conference & Visitors Bureau: 9400 S. Santa Monica Blvd., Suite 102, 310-248-1000 ou 800-345-2210, www.beverlyhillsbehere.com

Santa Monica Convention and Visitors Bureau: 1920 Main St., Suite B, 310-393-7593 ou 800-544-5319, www.santamonica.com

Pasadena Convention & Visitors Bureau: 626-795-9311 ou 800-307-7977, www.visitpasadena.com

Anaheim/Orange County Visitor and Convention Bureau: 855-405-5020, www.anaheimoc.org

Restaurants

Los Angeles est l'une des villes où l'on mange le mieux aux États-Unis. La grande diversité ethnique assure une variété de cuisines qui saura satisfaire n'importe quel visiteur. Les restaurants chics et à la mode ouvrent et ferment rapidement, comme ces bars et boîtes de nuit qui vibrent au rythme des modes et des tendances. Notre guide tâche de présenter des valeurs sûres, des restaurants qui passent avec succès l'épreuve du temps.

Les Américains parlent du *breakfast* pour désigner le repas du matin, du *lunch* pour le repas de midi et du *dinner* pour le repas du soir. Le *brunch*, qui combine *breakfast* et *lunch*, est généralement servi les samedi et dimanche entre 10h et 14h.

Dans le chapitre «Explorer Los Angeles», vous trouverez la description de plusieurs établissements pour chaque secteur couvert par ce guide. Sachez qu'il est essentiel, dans les meilleurs restaurants, de réserver sa table en téléphonant plusieurs heures, jours, voire semaines à l'avance.

L'échelle utilisée dans ce guide donne des indications de prix pour un repas complet pour une personne, avant les boissons, les taxes (voir p. 163) et le pourboire (voir p. 159).

$	moins de 15$
$$	de 15$ à 25$
$$$	de 26$ à 40$
$$$$	plus de 40$

Yamashiro.

Parmi les restaurants proposés dans ce guide, certains se distinguent encore plus que les autres. Nous leur avons donc attribué le label Ulysse ⊛. Repérez-les en premier!

Santé

Pour les personnes en provenance d'Europe, du Québec et d'ailleurs au Canada, aucun vaccin n'est nécessaire pour entrer aux États-Unis. D'autre part, il est vivement recommandé, en raison du prix élevé des soins, de souscrire une bonne assurance maladie-accident. Emportez vos médicaments, surtout ceux qui exigent une ordonnance. Sauf indication contraire, l'eau est potable partout en Californie.

Sécurité

Le taux de criminalité à Los Angeles s'approche passablement de la moyenne américaine. Comme dans beaucoup de villes des États-Unis, le nombre de crimes violents a diminué ces dernières années, mais il est toujours prudent de prendre certaines précautions. Rappelez-vous donc de garder vos objets de valeur à l'abri des regards dans les endroits publics et, lorsque vous retirez de l'argent à un guichet automatique, assurez-vous de le faire dans un endroit bien éclairé et passant.

Sachez que certains secteurs de Los Angeles sont plus dangereux que d'autres. D'une manière générale, la portion ouest est relativement sûre, alors que plusieurs zones au sud et à l'est du centre-ville de L.A. le sont moins, car elles sont fréquentées par certaines bandes de jeunes peu recommandables. Certaines rues apparem-

Los Angeles pratique

ment sûres le jour peuvent en outre devenir lugubres à la tombée de la nuit. Cela est particulièrement vrai de certains secteurs du centre-ville de L.A. et de certains quartiers d'Hollywood. Les visiteurs qui se déplacent à pied après le coucher du soleil devraient donc faire preuve de bon sens et éviter les endroits peu familiers où ne circulent que peu de piétons.

Les automobilistes devraient eux aussi prendre des précautions supplémentaires lorsqu'ils roulent tard le soir, en s'assurant de leur itinéraire et en maintenant leurs portières verrouillées.

En prenant les précautions courantes, il n'y a pas lieu d'être inquiet outre mesure pour sa sécurité. Si toutefois la malchance était avec vous, n'oubliez pas que le numéro de secours est le **911**, ou le **0** en passant par le téléphoniste.

Sports professionnels

Baseball, basketball et hockey

Dodger Stadium
1000 Elysian Park Ave., 323-224-1448,
Los Angeles, http://losangeles.dodgers.mlb.com

Les **Los Angeles Dodgers**, célèbre équipe des ligues majeures de baseball, évoluent au Dodger Stadium (à quelques kilomètres au nord-est du centre-ville, près de la

route 110) de la fin de mars à la fin de septembre.

Staples Center
1111 S. Figueroa St., 213-742-7340,
Los Angeles, www.staplescenter.com

Le Staples Center est l'aréna où se tiennent les parties de l'équipe professionnelle de hockey (**Los Angeles Kings**) et des deux équipes professionnelles de basketball (**Los Angeles Lakers** et **Los Angeles Clippers**) de la ville. Les rencontres ont lieu entre septembre et mai.

Angels Stadium
2000 E. Gene Autry Way, Anaheim,
714-940-2000, www.angels.mlb.com

Les **Los Angeles Angels of Anaheim**, une équipe des ligues majeures de baseball, jouent leurs matchs à domicile à l'Angels Stadium d'Anaheim de la fin de mars à la fin de septembre.

Honda Center
2695 E. Katella Ave., Anaheim, 877-945-3946,
www.ducks.nhl.com

Équipe de la Ligue nationale de hockey, les **Anaheim Ducks** disputent leurs parties à domicile au Honda Center du début d'octobre à la mi-avril.

Soccer

Home Depot Center
18400 S. Avalon Blvd., Carson, 310-630-2260,
www.homedepotcenter.com

Le Home Depot Center de Carson (à 21 km au sud du centre-ville par la route 110) accueille les **L.A.**

Staples Center.

Galaxy, qui évoluent dans la Major League Soccer. Les matchs ont lieu de mars à octobre.

Taxes

Une taxe totale (celle de la Ville et celle de l'État) de 14% est en vigueur sur le prix de l'hébergement, alors que celle s'appliquant aux produits et services est de 8,75%.

Télécommunications

Malgré la prédominance des téléphones cellulaires, on trouve encore aisément des cabines téléphoniques fonctionnant à l'aide de pièces de monnaie (0,50$) ou de cartes d'appel.

Indicatifs régionaux

Centre-ville de Los Angeles : *213*

Beverly Hills, Venice, Santa Monica, San Pedro, West Hollywood, West L.A. et Westwood : *310*

Hollywood, Mid-Wilshire : *323*

Long Beach : *562*

Pasadena : *626*

Anaheim, Garden Grove, Huntington Beach : *714*

Burbank, Glendale, San Fernando Valley : *818*

Laguna Beach et Newport : *949*

Tout au long du présent ouvrage, vous apercevrez aussi des numéros de téléphone dont le préfixe est *800*, *855*, *866*, *877* ou *888*. Il s'agit alors de numéros sans frais, en général accessibles depuis tous les coins de l'Amérique du Nord.

Los Angeles pratique

West Hollywood Halloween Costume Carnaval.

Sachez que le numéro complet de 10 chiffres doit être composé dans tous les cas, même pour les appels locaux à l'intérieur de la grande région de Los Angeles.

Pour joindre le **Québec** depuis Los Angeles, vous devez composer le *1*, l'indicatif régional de votre correspondant et finalement son numéro. Pour atteindre la **Belgique**, faites le *011-32* puis l'indicatif régional et le numéro de votre correspondant. Pour appeler en **France**, faites le *011-33* puis le numéro à 10 chiffres de votre correspondant en omettant le premier zéro. Pour joindre la **Suisse**, faites le *011-41* puis l'indicatif régional et le numéro de votre correspondant.

Vie gay

Los Angeles compte une importante et dynamique communauté gay. Aussi y retrouve-t-on plusieurs établissements destinés à la clientèle homosexuelle, situés principalement à West Hollywood, Venice et Santa Monica.

Chaque année au mois de juin, la communauté gay de Los Angeles se donne rendez-vous dans les rues de West Hollywood pour le festival **LA PRIDE** *(www.lapride.org)*. Il s'agit d'un exubérant défilé et festival qui s'étale sur trois jours.

Il y a aussi le **West Hollywood Halloween Costume Carnaval** *(www.westhollywoodhalloween. com)*, le 31 octobre, journée pen-

Les visites guidées du Los Angeles Conservancy

L'organisme bénévole **Los Angeles Conservancy** propose d'intéressantes visites guidées à pied tous les samedis matin *(10$; la plupart des visites commencent à 10h, il est fortement suggéré de réserver; 523 W. Sixth St., Suite 826, 213-623-2489, www.laconservancy.org)*. Les visites durent généralement de 2h à 2h30, et la taille des groupes est le plus souvent limitée à 15 personnes. Les nombreuses visites offertes tous les samedis sont dirigées par des guides dûment formés dont certains savent très bien transmettre leurs connaissances de l'histoire de l'architecture locale.

La visite la plus populaire parcourt les anciens palaces du cinéma de Broadway Avenue, dont certains sont d'ailleurs encore en activité, et il est conseillé de réserver sa place longtemps à l'avance pour cette visite. Une autre visite fort appréciée fait le tour des immeubles de bureaux Art déco du centre-ville de L.A., tous riches de détails ornementaux. Parmi les visites qui, elles, ne sont proposées qu'un ou deux samedis par mois, mentionnons celles de l'Union Station et de l'ancien quartier des affaires de Spring Street.

dant laquelle la communauté gay est prise d'un vent de folie qui gagne Santa Monica Boulevard. Les déguisements les plus extravagants sont au rendez-vous.

Visiteurs à mobilité réduite

La Ville de Los Angeles s'efforce, comme la plupart des villes américaines d'importance, de rendre plus accessibles ses infrastructures touristiques aux voyageurs à mobilité réduite. L'organisme suivant est en mesure de fournir des renseignements utiles aux personnes handicapées qui désirent visiter Los Angeles.

Westside Center for Independent Living: 12901 Venice Blvd., Los Angeles, CA 90066, 888-851-9245, www.wcil.org

Los Angeles pratique

Laguna Beach

index ↘

lexique
français-anglais ↘

Bonjour	*Hello*	S'il vous plaît	*Please*
Bonsoir	*Good evening/night*	Merci	*Thank you*
Bonjour, au revoir	*Goodbye*	De rien, bienvenue	*You're welcome*
Comment ça va?	*How are you?*	Excusez-moi	*Excuse me*
Ça va bien	*I'm fine*	J'ai besoin de…	*I need…*
Oui	*Yes*	Je voudrais…	*I would like…*
Non	*No*	C'est combien?	*How much is this?*
Peut-être	*Maybe*	L'addition, s'il vous plaît	*The bill please*

Directions

Où est le/la …?	*Where is…?*	entre	*between*
Il n'y a pas de…	*There is no…,*	ici	*here*
Nous n'avons pas de…	*We have no…*	là, là-bas	*there, over there*
à côté de	*beside*	loin de	*far from*
à l'extérieur	*outside*	près de	*near*
à l'intérieur	*into, inside, in, into, inside*	sur la droite	*to the right*
derrière	*behind*	sur la gauche	*to the left*
devant	*in front of*	tout droit	*straight ahead*

Le temps

après-midi	*afternoon*	août	*August*
aujourd'hui	*today*	septembre	*September*
demain	*tomorrow*	octobre	*October*
heure	*hour*	novembre	*November*
hier	*yesterday*	décembre	*December*
jamais	*never*	nuit	*night*
jour	*day*	Quand?	*When?*
maintenant	*now*	Quelle heure est-il?	*What time is it?*
matin	*morning*	semaine	*week*
minute	*minute*	dimanche	*Sunday*
mois	*month*	lundi	*Monday*
janvier	*January*	mardi	*Tuesday*
février	*February*	mercredi	*Wednesday*
mars	*March*	jeudi	*Thursday*
avril	*April*	vendredi	*Friday*
mai	*May*	samedi	*Saturday*
juin	*June*	soir	*evening*
juillet	*July*		

Au restaurant

banquette	*booth*	café	*coffee*
chaise	*chair*	dessert	*dessert*
cuisine	*kitchen*	entrée	*appetizer*
salle à manger	*dining room*	plat	*dish*
table	*table*	plat principal	*main dish/entree*
terrasse	*patio*	plats végétariens	*vegetarian dishes*
toilettes	*washroom*	soupe	*soup*
		vin	*wine*
petit déjeuner	*breakfast*		
déjeuner	*lunch*	saignant	*rare*
dîner	*dinner/supper*	à point (médium)	*medium*
		bien cuit	*well done*

Achats

appareils électroniques	*electronic equipment*	informatique	*equipment*
artisanat	*handicrafts*	équipement photographique	*photography equipment*
boutique	*store/boutique*	journaux	*newspapers*
cadeau	*gift*	librairie	*bookstore*
carte	*map*	marché	*market*
carte postale	*postcard*	pharmacie	*pharmacy*
centre commercial	*shopping mall*	supermarché	*supermarket*
chaussures	*shoes*	timbres	*stamps*
coiffeur	*hairdresser/barber*	vêtements	*clothing*
équipement	*computer*		

Mesures et conversions

Mesures de capacité

1 gallon américain (gal) = 3,79 litres

Mesures de longueur

1 pied (pi) = 30 centimètres
1 mille (mi) = 1,6 kilomètre
1 pouce (po) = 2,5 centimètres

Poids

1 livre (lb) = 454 grammes

Température

100°F	40℃
	30℃
70°F	20℃
50°F	10℃
32°F	0℃
20°F	-10℃
0°F	-18℃
-20°F	-30℃

Pour en connaître un peu plus, procurez-vous le guide de conversation *L'anglais pour mieux voyager en Amérique*.

Crédits photographiques